flocons d'amour

flocons d'amour

John Green
Maureen Johnson
Lauren Myracle

Traduit de l'anglais (États-Unis)
par Alice Delarbre

hachette

Photos de couverture : haut : Plainpicture/Fancy ;
bas : Susie Adams/Getty Images

L'édition originale de cet ouvrage
a paru en langue anglaise chez Speak,
an imprint of Penguin Group (U.S.A.) Inc.,
sous le titre :

LET IT SNOW

Hachette Livre, 43 quai de Grenelle, 75015 Paris.

le jubilé express

Maureen Johnson

Pour Hamish, qui m'a appris comment aborder une pente, et son fameux principe du « fonce sans te poser de questions et tourne si un obstacle surgit en travers de ton chemin ». Et pour tous les travailleurs de l'ombre des grandes machines capitalistes, pour vous qui répétez « caffè latte *» trois mille fois par jour, pour les pauvres hères qui se sont retrouvés avec une machine à carte bleue cassée en pleines fêtes de fin d'année... Cette histoire est pour vous.*

1

❄❄❄

Tout a commencé la nuit de Noël.

Enfin, pour être plus précise, l'après-midi du 24 décembre. Mais avant de vous plonger au cœur de mon récit palpitant, je tiens à me débarrasser tout de suite d'un problème. Je sais d'expérience que, s'il surgit plus tard, dans le cours de la narration, votre attention sera entièrement captée par lui et que vous serez incapable de vous concentrer sur ce que j'ai à vous raconter.

Je m'appelle Jubilé.

Prenez le temps de digérer cette information.

Vous voyez, dit comme ça, ce n'est pas si terrible. Maintenant imaginez que je sois au beau milieu d'une longue histoire (telle que celle que je m'apprête justement à vous livrer) et que je lâche au détour d'une phrase : « Au fait, je m'appelle Jubilé. » Vous ne sauriez pas comment réagir.

J'ai conscience que ce prénom évoque immédiatement le nom de scène d'une strip-teaseuse. Certains d'entre vous ont sans doute même tiré la conclusion hâtive que j'en étais une. Et pourtant non. Si vous me voyiez, vous pigeriez assez vite que je suis même à mille lieues de ce genre de fille (enfin, je crois). J'ai un petit carré noir, je porte des lunettes la moitié du temps, des lentilles le restant. J'ai seize ans, je chante dans une chorale et je participe aux compétitions de maths dans mon lycée. Je joue au hockey sur gazon, qui exige des compétences très différentes de la souplesse et de la sensualité essentielles au savoir-faire des danseuses de charme. (Je n'ai aucun problème avec cette profession ; je tiens à le préciser au cas où l'une d'elles me lirait. Simplement je n'en suis pas une. Mon principal blocage, quant à ce métier, tient au latex. Je suis sûre que c'est mauvais pour la peau, que ça ne la laisse pas respirer.)

Le problème que me pose Jubilé, c'est que ce n'est pas un *prénom*. Il s'agit d'une sorte de fête. Personne ne sait vraiment quel genre, d'ailleurs. Vous avez déjà entendu parler de quelqu'un qui organisait un jubilé ? Et, si c'était le cas, vous iriez ? Parce que moi, non. Je l'associe spontanément à la location d'un énorme objet gonflable, à des ribambelles de fanions et à une organisation très complexe du tri des déchets.

À la réflexion, dans mon esprit, le jubilé se rapproche dangereusement du bal populaire.

Mon prénom n'est pas étranger à l'histoire qui, comme je l'ai dit, a commencé la veille de Noël, dans l'après-midi. Je passais une de ces journées qui vous donnent le sentiment d'être… verni. Les exams étaient terminés, et l'école ne reprendrait pas avant la nouvelle année. J'étais seule à la maison, et je m'y sentais bien. Je portais les vêtements que j'avais achetés avec mes économies – une jupe, des bottines et des collants noirs, ainsi qu'un tee-shirt rouge à paillettes. Je sirotais un lait de poule. Mes cadeaux étaient emballés. Bref, tout était prêt pour le grand événement du jour : à six heures, je rejoindrais Noah – mon amoureux – chez ses parents, pour leur *smörgåsbord*[1] annuel du 24 décembre.

Le *smörgåsbord* de la famille Price a joué un grand rôle dans notre histoire, à Noah et moi. C'est grâce à lui qu'on est sortis ensemble. Avant le *smörgåsbord*, Noah Price était une étoile… familière et brillante, mais que je contemplais de loin. J'avais beau le connaître depuis la fin du primaire, j'avais l'impression de le voir évoluer sur l'écran d'une télévision : en quelque sorte, c'était comme si je suivais son émission régulièrement. Bien entendu, Noah était un peu plus proche de moi que ça… mais, parfois, certaines personnes paraissent plus distantes et plus inaccessibles que les véritables stars. La proximité n'engendre pas toujours la familiarité.

Je l'avais toujours apprécié, mais je n'avais jamais pensé à lui comme à un garçon. Je me l'étais interdit. Il était mon aîné d'un an, mesurait trente centimètres de plus, avait de larges épaules, des yeux qui pétillent et les cheveux longs. Il avait tout pour lui – sportif, brillant, populaire –, bref, le genre de type qu'on imagine au bras d'un mannequin, d'une espionne ou d'une scientifique ayant un laboratoire à son nom.

Si bien que lorsque Noah m'avait proposé de venir au *smörgåsbord* de ses parents, l'année précédente, j'avais bien failli exploser de joie. Je n'avais pas réussi à marcher droit pendant les trois jours suivant l'invitation. La situation était si critique que j'avais dû m'entraîner à mettre un pied devant l'autre dans ma chambre avant de

---

1. Buffet suédois. (Toutes les notes sont de la traductrice.)

me rendre chez lui. J'ignorais s'il m'avait conviée parce qu'il m'appréciait, si sa mère l'avait forcé (nos parents se connaissent), ou s'il avait perdu un pari. Mes copines étaient aussi excitées que moi, mais elles semblaient moins surprises. Elles me répétaient qu'il m'observait à la dérobée pendant les compétitions de maths, qu'il riait à mes blagues pourries sur la trigonométrie et qu'il parlait de moi aux autres.

Ça paraissait tellement *incroyable*… Aussi fou que de découvrir qu'on avait écrit un livre sur moi.

Sur place, j'avais passé la majeure partie de la soirée dans un coin, à discuter avec sa sœur, qu'on pourrait qualifier (même si je l'aime beaucoup) de superficielle. Quand elle porte sur des marques de sweat-shirts, la conversation atteint très vite ses limites. En tout cas la mienne. Parce que Elise, elle, a beaucoup à dire sur la question.

J'avais profité d'une diversion pour lui échapper. La mère de Noah venait en effet de poser une nouvelle assiette sur le buffet, ce qui m'avait permis de me servir de la fameuse excuse : « Oh, je suis désolée, mais ça a l'air trop bon. » Je n'avais aucune idée de ce dont il s'agissait. Quand j'avais découvert que c'était du hareng saur, j'avais voulu me rétracter, mais sa mère avait dit :

— Il faut absolument que tu goûtes.

Comme je suis incapable de m'affirmer, j'avais obtempéré. Et grand bien m'avait pris, puisque Noah, qui avait observé la scène, m'avait lancé :

— Je suis content que tu en aies mangé.

Je lui avais demandé pourquoi, soupçonnant un pari derrière tout ça (« D'accord, je l'invite, mais, les gars, vous me filez vingt dollars si je réussis à lui faire avaler du poisson mariné »). Pourtant, il avait répondu :

— Parce que j'en ai mangé aussi.

J'étais restée plantée là, avec, j'imagine, une expression de parfaite idiote, si bien qu'il avait ajouté :

— Et, autrement, je n'aurais pas pu t'embrasser.

C'était à la fois répugnant et terriblement romantique. Il lui aurait suffi de monter se laver les dents, mais il avait rôdé près du buffet en attendant que je me décide. On s'était planqués dans le garage et on s'était embrassés sous l'étagère à outils. Voilà comment tout avait commencé.

Et voilà pourquoi le 24 décembre dont je m'apprête à vous parler n'était pas n'importe lequel : nous fêtions nos « un an ». J'avais du mal à croire que ça faisait aussi longtemps. Tout était passé si vite…

Il faut dire que Noah était toujours très occupé. À peine arrivé au monde, je parie qu'il s'était empressé de quitter la maternité pour se rendre à une réunion. En tant qu'élève de terminale, membre de l'équipe de football et président du conseil des élèves, son temps libre se réduisait à une peau de chagrin. Je crois qu'au cours de l'année écoulée, nous avions dû avoir, en tout et pour tout, une douzaine de rendez-vous en tête à tête. Soit un par mois environ. Mais nous avions fait tellement de choses ensemble. Noah et Jubilé à la vente de gâteaux au profit du conseil des élèves ! Noah et Jubilé à la tombola du club de foot ! Noah et Jubilé à la soupe populaire, dans la salle des profs, à la journée portes ouvertes…

Noah en était parfaitement conscient. D'ailleurs, même si cette soirée était un événement familial, qu'il y aurait beaucoup d'invités à saluer, il m'avait promis que nous aurions du temps pour nous. Il s'en était assuré en participant aux préparatifs. Si on effectuait deux heures de présence à la fête, m'avait-il promis, on pourrait se réfugier dans sa chambre pour échanger nos cadeaux et regarder *Le Grinch.* Il me raccompagnerait à la maison, et on ferait sans doute une petite halte en route...

Mais, évidemment, mes parents ont été arrêtés, et tous mes beaux projets sont tombés à l'eau.

Vous avez déjà entendu parler du Village de Noël de Flobie ? Comme il fait partie intégrante de ma vie, j'ai tendance à en conclure que tout le monde le connaît, mais on m'a dit récemment que je tirais beaucoup trop de conclusions hâtives...

Il s'agit d'une série de pièces en céramique que l'on assemble pour créer un village de Noël. Mes parents les collectionnent depuis ma naissance. Je contemple ces petites rues aux pavés en plastique depuis que j'ai l'âge de tenir debout. Nous avons la totale – le Pont en sucre d'orge, le Lac de guimauve, le Magasin en boules de gomme, la Fabrique de pain d'épice, l'Allée des bonbons. Et tout ce petit monde prend de la place. Mes parents ont acheté une table spéciale pour accueillir notre village, et elle trône au milieu de notre salon, de Thanksgiving[1] au nouvel an. Il ne faut pas moins de sept prises électriques pour faire marcher l'ensemble. Afin de réduire la consommation d'énergie, j'avais réussi à les convaincre d'éteindre la nuit, mais la bataille avait été rude.

Je dois mon prénom au bâtiment numéro quatre du Village de Flobie, la Maison du Jubilé. C'est le monument le plus imposant de la collection, les cadeaux y sont fabriqués et emballés. Il possède des lumières de

---

1. La fête nationale de Thanksgiving (journée d'actions de grâces) a lieu le quatrième jeudi de novembre.

différentes couleurs, un tapis roulant, qui tourne pour de vrai, avec des présents dessus, et de petits elfes qui pivotent comme s'ils les posaient et les retiraient. Chaque elfe de la maison du Jubilé a un petit paquet dans les mains – si bien qu'on les dirait condamnés à prendre et remettre le même présent pour l'éternité… ou, du moins, jusqu'à ce que le moteur rende l'âme. Je me souviens l'avoir fait remarquer à ma mère quand j'étais petite ; elle m'avait répondu que je n'y comprenais rien. Peut-être bien. À l'évidence, nous avions des points de vue radicalement opposés sur la question, puisqu'elle considérait que ces maisons en céramique étaient suffisamment importantes pour donner le nom de l'une d'entre elles à sa fille.

Les collectionneurs de pièces Flobie ont une légère tendance à l'obsession. Des conventions, environ une dizaine de sites Internet sérieux et quatre magazines leur sont consacrés. Certains d'entre eux tentent de se justifier en expliquant que ces objets constituent un investissement. Ils valent un sacré paquet d'argent, pas de doute là-dessus. Surtout les pièces numérotées. On ne peut se les procurer qu'au salon Flobie, qui se tient la veille de Noël. Nous vivons à Richmond, dans l'État de Virginie, à environ quatre-vingts kilomètres de l'endroit où se déroule ce fameux salon – c'est pourquoi chaque année, la nuit du 23, mes parents quittent la maison après avoir rempli la voiture de couvertures, de fauteuils et de provisions : ils feront la queue jusqu'au matin suivant.

Autrefois, Flobie fabriquait une centaine de pièces numérotées, mais, depuis l'année précédente, ils avaient réduit ce nombre à dix. À partir de ce moment-là, la situation s'était dégradée. Cent, ce n'était déjà pas assez, alors quand cette quantité avait été divisée par dix, les collectionneurs avaient sorti les griffes, et les plumes avaient commencé à voler. Il y avait eu un incident, l'année précédente, dans la queue – la dispute s'était soldée par une bagarre à coups de catalogues Flobie, de boîtes de biscuits et de pliants, sans parler du chocolat chaud qui avait atterri sur le bonnet de père Noël d'un pauvre innocent. L'altercation avait été suffisamment importante, et grotesque, pour passer aux infos locales. Flobie avait annoncé que les « mesures nécessaires » seraient prises pour s'assurer que ça ne se reproduirait plus, mais je n'y avais jamais cru. Qui cracherait sur ce genre de publicité ?

Pourtant, je n'avais pas pensé une seconde à cet incident lorsque mes parents étaient partis en quête de la pièce numéro soixante-huit, l'Hôtel des Elfes. Et je n'y pensais toujours pas en sirotant mon lait de poule pour tuer le temps avant d'aller chez Noah. J'avais remarqué que mes parents rentraient plus tard que d'habitude. Ils étaient généralement revenus pour le déjeuner du 24, et il était déjà presque seize heures. Je m'étais trouvé des occupations, puisque je ne pouvais pas appeler Noah – il préparait activement le *smörgåsbord*. J'avais donc ajouté du ruban et du houx sur ses cadeaux. J'avais branché toutes les prises du Village de Noël, mettant au travail forcé les esclaves elfes. J'écoutais des chants de Noël. Je sortais pour allumer les lumières de la façade lorsque j'avais aperçu Sam, qui venait dans la direction de notre maison au pas de charge d'une section d'assaut.

Sam est notre avocat – quand je dis « notre avocat », je veux dire « notre voisin, qui se trouve être un avocat particulièrement influent à Washington ». Sam est la personne rêvée pour intenter un procès contre une grosse entreprise et gagner des milliards de dollars. En revanche, ce n'est pas le type le plus chaleureux de la Terre. Je m'apprêtais à lui proposer une tasse de mon délicieux lait de poule, quand il m'a coupée dans mon élan.

— J'ai une mauvaise nouvelle, a-t-il lancé en me poussant vers la porte. Il y a eu un autre incident au salon Flobie. Rentrons.

J'ai cru qu'il allait m'annoncer que mes parents avaient été tués. Il avait exactement ce genre de ton. J'ai tout de suite imaginé d'immenses piles d'Hôtels des Elfes s'effondrant sur les visiteurs. J'en avais vu un en photo – il était doté de tourelles en forme de cannes à sucre qui pouvaient facilement faire office de pales. Et si des personnes avaient la moindre chance d'être tuées par un Hôtel des Elfes, c'étaient bien mes parents.

— Ils ont été placés en garde à vue. Ils sont en prison.

— Qui ça ? ai-je demandé, parce que je suis un peu longue à la détente et qu'il m'était beaucoup plus facile de me représenter mes parents attaqués par un Hôtel des Elfes qu'emmenés les menottes aux poignets.

Sam m'a considérée en silence, le temps que je percute.

— Il y a eu une bagarre dans la file d'attente, ce matin, au moment de la mise en vente des pièces, a-t-il repris au bout d'un moment. Tes parents n'y ont pas pris part, mais ils ne se sont pas dispersés lorsque la police le leur a ordonné. Ils ont été embarqués avec les autres. Cinq personnes ont été arrêtées. Ça fait la une aux infos.

Sentant que mes jambes se dérobaient, je me suis assise sur le canapé.

— Pourquoi ne m'ont-ils pas appelée ? lui ai-je demandé.

— Ils n'avaient droit qu'à un coup de fil. Ils m'ont téléphoné dans l'espoir que je pourrais les faire libérer. Ce qui n'est pas le cas.

— Comment ça ?

C'était tout bonnement ridicule. Aussi ridicule qu'un pilote d'avion annonçant aux passagers de son vol : « Salut, les amis. Je viens juste de me rappeler que je ne suis pas doué pour les atterrissages. Je vais survoler l'aéroport tant que personne n'aura de meilleure idée. »

— J'ai tout essayé, a poursuivi Sam, mais le juge refuse de céder. Il en a assez des ennuis avec Flobie, et il veut créer un précédent. Tes parents m'ont demandé de t'emmener à la gare. Je n'ai qu'une heure, je suis attendu pour manger des biscuits et chanter des chants de Noël. Dans combien de temps peux-tu être prête ?

Il devait employer exactement le même ton tragique lorsqu'il souhaitait terroriser l'accusé à la barre en demandant pourquoi on l'avait vu fuir la scène du crime couvert de sang. Il n'avait pas l'air ravi d'avoir écopé de cette mission la veille de Noël. Néanmoins, un petit peu de compassion n'aurait pas fait de mal.

— Prête ? La gare ? Quoi ?

— Tu pars en Floride chez tes grands-parents. Je n'ai pas réussi à t'avoir un vol, ils sont annulés les uns après les autres à cause de la tempête.

— Quelle tempête ?

— Jubilé, a-t-il repris très lentement après avoir conclu que j'étais la personne sur Terre la moins bien informée, nous attendons la tempête la plus importante depuis cinquante ans !

Mes neurones ne fonctionnaient pas normalement – rien de ce que Sam me disait ne semblait atteindre mon cerveau.

— Je ne peux pas partir, je suis censée voir Noah ce soir. Et puis il y a Noël. Comment on va faire ?

Sam a haussé les épaules, comme pour signifier que Noël ne relevait pas de son domaine de compétence, que le système judiciaire y était insensible.

— Mais… pourquoi est-ce que je ne reste pas tout simplement ici ? C'est de la folie !

— Tes parents ne veulent pas te savoir seule pendant ces deux jours.

— Je n'ai qu'à aller chez Noah. Mais oui ! c'est la solution !

— Écoute, tout est déjà prévu. Il est impossible de joindre tes parents pour le moment. Ils sont sans doute devant le juge à l'heure qu'il est. Je t'ai acheté un billet et je n'ai pas beaucoup de temps. Il faut que tu ailles préparer ton sac, maintenant, Jubilé.

Je me suis détournée pour observer le petit village scintillant. J'apercevais les ombres des elfes maudits dans la Maison du Jubilé, la chaude lueur de la Pâtisserie de Madame Tarte, le mouvement lent mais joyeux de l'Express des Elfes, qui avançait sur ses rails.

La seule chose que j'ai trouvé à demander a été :

— Mais… et le Village ?

2

❄❄❄

Je n'avais jamais pris le train avant. Il était bien plus grand que ce que j'avais imaginé, avec des fenêtres sur deux niveaux dans les voitures contenant, je suppose, les couchettes. À l'intérieur, la lumière était tamisée, et la plupart des voyageurs entassés là semblaient complètement amorphes. Je m'attendais à ce que la locomotive crache de la fumée et démarre en trombe – j'ai regardé beaucoup de dessins animés au cours de mon enfance dissipée, et c'est comme ça que les trains de dessins animés font. Celui-ci, pourtant, s'est ébranlé avec indifférence, comme si, soudain, il en avait assez d'être à l'arrêt.

Bien évidemment, j'ai appelé Noah à la seconde où nous avons quitté la gare. C'était une légère infraction à la règle d'or – « je vais être occupé jusqu'à six heures, alors inutile de m'appeler, de toute façon on se voit ce soir » –, mais j'avais des circonstances pour le moins atténuantes. Dès qu'il a décroché, j'ai entendu une clameur joyeuse derrière lui. Les chants de Noël et les bruits de vaisselle entrechoquée offraient un contraste déprimant avec le silence assourdissant et angoissant du train.

— Ju ! s'est-il écrié. Ce n'est pas vraiment le moment de m'appeler… On se voit dans une heure, de toute façon !

Il a poussé un grognement. Il venait probablement de soulever quelque chose de lourd, sans doute un de ces jambons effroyablement gros que sa mère se procure toujours pour l'occasion. Je suis sûre qu'elle les trouve dans une ferme expérimentale secrète où on soumet les cochons à des rayons laser et où on les gave de drogues jusqu'à ce qu'ils atteignent un mètre de long.

— Euh… c'est l'ennui justement, ai-je répondu. Je ne peux pas venir.

— Comment ça, tu ne peux pas venir ? Qu'est-ce qui se passe ?

Je lui ai expliqué les différents épisodes de mon mieux : « mes parents sont en prison », « je suis dans le train et la plus grosse tempête de tous les temps menace », « la vie ne se déroule jamais comme prévu ». J'ai essayé d'adopter un ton léger, comme si la situation me paraissait drôle, essentiellement pour éviter d'éclater en sanglots dans une voiture obscure remplie d'inconnus apathiques.

Nouveau grognement. Il déplaçait quelque chose, cette fois.

— Ça va s'arranger, a-t-il fini par dire. Sam s'en occupe, n'est-ce pas ?

— Eh bien, si tu entends par là qu'il s'occupe de ne pas les sortir de prison, oui, en effet. Il n'avait même pas l'air inquiet.

— Ils sont sans doute simplement au commissariat. Rien de grave. Et si Sam ne se fait pas de souci, c'est que tout ira bien. Je suis désolé pour toi, Jubilé, on se voit dans un jour ou deux ?

— Oui, mais c'est Noël.

Ma voix s'est étranglée dans ma gorge, et j'ai ravalé une larme. Il m'a laissé un instant pour me reprendre.

— Je sais que c'est dur, Ju, a-t-il dit après un silence, mais tout ira bien. Ce sont des choses qui arrivent.

Bien sûr, il cherchait seulement à me consoler. N'empêche. Des choses qui arrivent ? Ça m'étonnerait ! Une voiture qui tombe en panne, une grippe intestinale fulgurante ou une guirlande de Noël défectueuse qui met le feu à la haie du jardin, c'étaient des choses qui arrivaient. Je le lui ai fait remarquer, et il a soupiré, bien obligé de reconnaître que j'avais raison. Puis il a poussé un autre grognement.

— Qu'est-ce qu'il y a ? ai-je demandé en reniflant.

— J'ai un énorme jambon dans les bras, je vais devoir te laisser. Écoute, on fêtera Noël ensemble à ton retour. Je te le jure. On trouvera un moment. Ne t'inquiète pas. Appelle-moi quand tu arrives là-bas, d'accord ?

J'ai promis, et il a raccroché pour s'occuper de son jambon. J'ai observé mon téléphone, qui était redevenu silencieux.

Depuis que je sors avec Noah, j'éprouve beaucoup de compassion pour les femmes de politiciens. Elles ont beau avoir leurs propres occupations, une grande partie de leur temps est consacrée à accompagner l'homme qu'elles aiment. C'est comme ça qu'elles se retrouvent à agiter la main en souriant bêtement pour les photographes – quand l'équipe de chargés de communication ne leur écrase pas tout bonnement les pieds pour parler à « Celui Qui Compte Vraiment », « Mister Perfection ».

Je sais que derrière cette façade idéale se cachent aussi des souffrances... mais, même en considérant cet aspect des choses, Noah était quasiment parfait. Je n'avais jamais entendu personne dire du mal de lui. Sa popularité demeurait aussi indiscutée que la loi de la gravité. En choisissant de sortir avec moi, il m'avait témoigné sa confiance, et je m'étais mise à la croire méritée. Je me tenais plus droite. Je me sentais plus sûre de moi, plus importante. J'étais d'humeur plus égale. Noah *aimait* être vu en ma compagnie et, en conséquence, j'aimais être vue en sa compagnie, même si la logique laisse à désirer.

Alors, oui, son emploi du temps de ministre était parfois pénible. Pourtant, je me montrais compréhensive. Je comprenais qu'il ait à transporter un énorme jambon pour sa mère, par exemple, parce que soixante morfals étaient sur le point de débarquer. Il fallait le faire, c'est tout. Rien n'est jamais parfaitement blanc ou noir. J'ai sorti mon iPod : la batterie était presque vide. J'ai regardé quelques photos de Noah avant qu'elle me lâche.

Je me sentais terriblement seule dans ce train... Une solitude étrange, anormale, accablante. C'était un sentiment qui se rapprochait de la peur et de la tristesse. Ça tenait aussi de la fatigue, mais pas de celle qui s'envole après un petit somme. La voiture était plongée dans la pénombre, et il y régnait une atmosphère lugubre, mais j'avais l'impression qu'un éclairage plus puissant n'y changerait rien. Pire, il soulignerait sans doute que je me trouvais dans une situation déprimante.

J'ai pensé appeler mes grands-parents. Ils étaient prévenus de mon arrivée ; Sam leur avait téléphoné.

Ils auraient été heureux de m'entendre, mais je n'avais aucune envie de leur parler. Ne vous méprenez pas : ils sont géniaux. Seulement, ils paniquent pour un rien. Du genre, si l'épicerie du coin est en rupture de stock de la promotion du mois, disons une pizza surgelée ou une soupe, et que mes grands-parents soient justement venus en acheter, ils resteront plantés dans le magasin une demi-heure à débattre de la suite des événements. Si je les appelais, les circonstances de mon séjour seraient examinées dans les moindres détails. De quel type de couverture avais-je besoin ? Est-ce que je mangeais encore des crackers ? Grand-père devait-il racheter du shampooing ? Ça partait toujours d'une très bonne intention, mais, pour l'heure, je n'étais pas d'humeur.

J'aime croire que je suis débrouillarde ; j'allais donc me sortir de cette morosité. J'ai ouvert mon sac pour voir ce que j'avais emporté dans la précipitation : on ne peut pas dire que j'avais fait des merveilles. J'avais pris le strict nécessaire – des sous-vêtements, un jean, deux pulls, quelques chemises, mes lunettes. Mon iPod était déchargé. Je n'avais qu'un seul livre : *Northanger Abbey*, de Jane Austen. Il faisait partie de ma liste de lectures de vacances pour le cours de lettres. C'était un bon roman, mais pas vraiment de ceux dans lesquels on a envie de se plonger lorsque le destin s'acharne sur vous.

Pendant environ deux heures, j'ai regardé le soleil se coucher, le ciel rose bonbon virer à l'argent, et les premiers flocons de neige tomber. Je savais que c'était magnifique, mais entre le savoir et le ressentir il y a une vraie différence, et je m'en tapais. Les flocons se sont multipliés jusqu'à envahir tout le paysage et le recouvrir uniformément de blanc. Ils provenaient de toutes les directions à la fois, donnant même l'impression de monter du sol. À force de les observer, j'ai eu mal au cœur.

Les gens arpentaient le couloir avec de la nourriture – des chips, des sodas et des sandwichs préemballés. J'en ai déduit qu'il y avait un endroit où se restaurer dans le train. À la gare, Sam m'avait glissé dans la main un billet de cinquante dollars, qu'il se ferait rembourser par mes parents dès qu'ils seraient à l'air libre. N'ayant pas d'autre perspective pour me changer les idées, je me suis dirigée vers la voiture-restaurant, où on m'a aussitôt informée qu'il ne restait que des pizzas molles réchauffées au micro-ondes, deux muffins, quelques barres chocolatées, un sachet de noisettes et un fruit fripé. J'ai failli les féliciter de s'être aussi bien préparés aux vacances de fin d'année, mais le type derrière le comptoir paraissait vraiment abattu. Il se passerait sans doute volontiers de mes sarcasmes. J'ai acheté une pizza, deux barres chocolatées, les muffins, les noisettes, et un chocolat chaud. Il me semblait judicieux de constituer des réserves pour le restant du voyage vu la vitesse à laquelle les aliments avaient l'air de partir. Je lui ai glissé un généreux pourboire, et il a hoché la tête en guise de remerciement.

Je me suis installée sur l'un des sièges vides devant les tables fixées aux parois de la voiture. Le train remuait beaucoup, même si la cadence avait été sensiblement réduite. Le vent nous ballottait. J'ai laissé la pizza de côté, et je me suis brûlé les lèvres avec le chocolat. Elles ne seraient d'aucune autre utilité dans les jours à venir, de toute façon.

— Est-ce que je peux m'asseoir ici ?

J'ai levé les yeux sur un type incroyablement beau. Plus précisément : je voyais qu'il était beau, mais je m'en fichais. Enfin, il me faut bien reconnaître qu'il me faisait plus d'effet que la neige. Il avait des cheveux aussi foncés que les miens, autrement dit presque noirs, mais il les portait plus longs, en queue-de-cheval. Mon carré s'arrête au menton. Comme il avait, en plus, des pommettes hautes, il ressemblait à un Indien. La mince veste en jean qu'il portait était totalement inadaptée aux conditions météo. Quelque chose dans ses yeux m'a touchée – il paraissait soucieux et fatigué, on aurait presque dit qu'il avait du mal à les garder ouverts. Il venait d'acheter un café, et il serrait la tasse entre ses deux mains.

— Bien sûr, ai-je répondu.

Il a gardé la tête baissée en s'asseyant, mais je l'ai vu lorgner du côté de mes réserves de nourriture. Quelque chose m'a laissée penser qu'il devait être beaucoup plus affamé que moi.

— Sers-toi, si tu veux, lui ai-je proposé. J'ai fait une razzia avant qu'il n'y ait plus rien, mais je n'ai pas faim. La pizza est intacte.

J'ai senti qu'il résistait, alors j'ai insisté.

— Je sais qu'elle n'est pas très appétissante, mais c'est tout ce qu'ils avaient. Je t'assure, tu peux la prendre.

Il m'a souri. C'était un petit sourire.

— Je m'appelle Jeb.

— Et moi, Julie, ai-je répondu.

Je n'étais pas d'humeur à subir l'habituel : « Jubilé ? Tu t'appelles *Jubilé* ? C'est ton nom de naissance ou de scène ? » Mais je vous ai déjà tout expliqué. La plupart des gens m'appellent Julie. Noah, lui, préfère Ju.

— Où vas-tu ? m'a-t-il demandé.

Je n'avais pas prévu de mensonge pour expliquer la raison de ma présence dans ce train. Balancer la vérité à un étranger me paraissait dangereux.

— Chez mes grands-parents, ai-je répondu. Changement de dernière minute.

— Où habitent-ils ? a-t-il enchaîné en regardant les tourbillons de neige qui fouettaient les vitres du train.

Impossible de savoir où le ciel finissait et où le sol commençait. Le nuage de neige écrasait tout.

— En Floride.

— Sacrée trotte. Moi, je m'arrête à Gracetown, c'est la prochaine gare.

J'ai acquiescé. J'en avais entendu parler – mais je n'avais aucune idée de l'endroit où cette ville se trouvait. Quelque part sur cette longue route enneigée qui allait de moi à nulle part. Je lui ai proposé autre chose à manger, mais il a secoué la tête.

— Je suis calé. Merci pour la pizza, je crevais de faim. On a mal choisi notre jour pour voyager. Enfin, je dis ça comme si on avait eu le choix... Dans la vie il y a certains imprévus...

— Tu vas voir qui ?

Tout en gardant les yeux rivés sur la table, il a plié l'assiette en carton vide.

— Ma copine. Enfin, plus ou moins. J'ai essayé de l'appeler, mais je n'ai pas de réseau.

— Utilise le mien, ai-je dit en sortant mon téléphone, je crois que j'en ai. Et je suis loin d'avoir dépensé mon forfait ce mois-ci.

Jeb a pris l'appareil en me faisant un large sourire. Quand il s'est levé, j'ai constaté qu'il était vraiment grand et bien bâti. Si je n'avais pas été aussi dingue de Noah, je l'aurais trouvé craquant. Il s'est éloigné de quelques pas. Je l'ai regardé composer le numéro. Puis rabattre le clapet du téléphone sans même avoir parlé.

— Je n'ai pas réussi à l'avoir, a-t-il expliqué en se rasseyant.

— Raconte-moi tout ! ai-je lancé. Quand tu dis que c'est « plus ou moins » ta copine, c'est parce que tu n'es pas encore sûr de sortir vraiment avec elle ?

Je me suis souvenue des débuts de mon histoire avec Noah, quand je ne savais pas si on était ensemble pour de bon. J'étais constamment sur le qui-vive. C'était excitant.

— Elle m'a trompé, a-t-il lâché sans détour.

Aïe, je ne l'avais pas vue venir, celle-là. Mais alors, pas du tout. J'ai eu un pincement au cœur pour lui.

— Ce n'est pas sa faute, a-t-il repris au bout d'un moment. En tout cas, pas seulement. Je…

Je n'ai pas entendu la suite, parce que la porte de la voiture s'est ouverte et que des hurlements stridents nous sont parvenus. Ces hurlements m'ont rappelé les cris de Gobelet – l'horrible cacatoès que nous avions en primaire. Jeremy Rich lui avait appris des gros mots. Gobelet s'en donnait naturellement à cœur joie. On l'entendait même à l'autre bout du couloir. Il avait fini par être déplacé dans la salle des profs, où l'on peut probablement se répandre en insanités autant qu'on veut.

Ce n'est pourtant pas Gobelet qui est entré, mais quatorze filles, affublées de la même tenue moulante en polaire. Sur leurs fesses s'affichaient les mots : *Pompom girls de Ridge*. Chacune d'entre elles avait son nom écrit dans le dos. Elles se sont groupées autour du bar, en piaillant. J'ai prié en mon for intérieur pour qu'elles disent toutes en chœur : « J'y crois pas ! », mais mes prières n'ont pas été entendues, peut-être parce que Dieu était trop occupé à les écouter, elles.

— C'est horrible, il n'y a pas de barre de régime, a lancé l'une des filles.

— Je te l'avais dit, Madison. Tu aurais dû manger cette salade tout à l'heure.

— Je pensais qu'ils auraient au moins du blanc de poulet !

À ma grande consternation, j'ai constaté que les deux filles qui discutaient ensemble s'appelaient toutes les deux Madison. Pire : trois autres portaient le prénom Amber. J'ai eu le sentiment de me retrouver au milieu d'une expérience sociologique qui aurait mal tourné – à moins qu'il ne s'agisse de clones…

Quelques-unes ont fini par s'intéresser à nous. Enfin disons que leur centre d'intérêt s'est déplacé vers nous… vers Jeb, pour être plus précise.

— J'y crois pas ! s'est exclamée une des Amber. C'est le pire voyage de tous les temps, non ? Oh ! là, là ! toute cette neige…

Drôlement perspicace, cette Amber. Qu'allait-elle remarquer ensuite ? Que nous étions dans un train ? Que la lune luisait dans le ciel ? Que la vie regorgeait de surprises ? Qu'elle avait une cervelle ?

J'ai gardé ces réflexions pour moi, parce que je n'avais aucune envie d'être assassinée par une pom-pom girl. Et la question d'Amber ne s'adressait pas à moi, de toute façon. Elle n'avait même pas conscience de ma présence. Ses yeux étaient rivés sur Jeb. On pouvait presque voir les sondes électroniques de ses cornées procédant aux ajustements nécessaires pour le placer parfaitement dans sa ligne de mire.

— Il fait plutôt moche, a-t-il concédé poliment.

— On va en Floride ?

Elle l'a dit sur ce ton, comme si c'était une question.

— La météo devrait être meilleure là-bas, a-t-il répondu.

— Ouais, si on y arrive. On participe à une compétition régionale. Ce qui est dur, parce que c'est la fin de l'année. Mais on a fêté Noël en avance. Hier, plus précisément.

C'est à ce moment-là que j'ai remarqué qu'elles avaient toutes des affaires neuves : téléphones portables rutilants, bracelets et colliers clinquants – qu'elles tripotaient de leurs mains récemment manucurées –, modèles de lecteurs MP3 dont j'ignorais l'existence.

Amber Numéro Un s'est assise avec nous – en prenant soin de placer ses deux jambes bien parallèles et en biais. Sa pose, qui se voulait désinvolte, était très étudiée, au contraire, et révélait qu'elle avait l'habitude de se trouver au centre de l'attention.

— Je te présente Julie, a gentiment lancé Jeb.

Amber m'a dit qu'elle s'appelait Amber, avant de jacasser sur les autres Amber et les Madison. Il y avait d'autres prénoms, mais je n'ai retenu que ces deux-là. C'était plus simple de voir les choses sous cet angle. Et j'avais moins de risques de me tromper.

Amber était intarissable sur le sujet de leur compétition. Elle avait l'incroyable faculté de m'inclure dans la conversation tout en m'ignorant. Sans parler du message subliminal qu'elle m'adressait pour que je cède ma place à un membre de sa tribu, qui occupait déjà le moindre espace libre de la voiture. La moitié au téléphone, l'autre dévalisant les réserves d'eau, de café et de Coca Light.

J'en suis arrivée à la conclusion que je n'avais pas besoin de leur compagnie pour donner un sens à ma vie.

— Je retourne à ma place, ai-je annoncé.

Au moment où je me levais, le train a brusquement freiné, nous faisant tous perdre l'équilibre, sans parler des liquides chauds et froids renversés. Les roues ont hurlé leur protestation pendant quelques secondes, puis nous nous sommes immobilisés. Des sacs ont chuté des porte-bagages, puis des gens sont tombés. Dont moi. Ma joue et mon menton ont percuté un objet, j'ignore lequel, parce que les lumières se sont éteintes au même moment, provoquant un cri général de désarroi. Quelqu'un m'a aidée à me relever : je n'avais pas besoin de voir pour savoir que c'était Jeb.

— Ça va ? a-t-il demandé.

— Oui. Je crois.

Une première lumière a vacillé, puis elles se sont toutes rallumées, l'une après l'autre. Plusieurs Amber se cramponnaient au bar. Il y avait de la nourriture un peu partout sur le sol. Jeb s'est penché pour ramasser son téléphone, ou plutôt les deux morceaux dont il était à présent constitué. Il les a bercés dans sa paume comme un oisillon blessé.

Le haut-parleur a grésillé avant de faire entendre une voix totalement paniquée – envolé, le ton déterminé avec lequel elle nous annonçait les arrêts.

« Mesdames et messieurs, nous vous prions de garder votre calme. Un contrôleur va passer pour voir s'il y a des blessés. »

J'ai collé mon visage contre la vitre froide, nous nous étions arrêtés près d'une grande artère à plusieurs voies, sans doute une autoroute. De l'autre côté de la chaussée se trouvait une enseigne lumineuse jaune. J'avais du mal à la distinguer avec toute cette neige, mais j'ai identifié sa couleur et sa forme : il s'agissait d'une Waffle

House[1]. Dehors, un conducteur se frayait un chemin dans la neige pour examiner les rails à l'aide d'une lampe torche.

Une contrôleuse a ouvert la portière de notre voiture en grand. Elle avait perdu sa casquette.

— Qu'est-ce qui se passe ? lui ai-je demandé lorsqu'elle s'est approchée. Le train a l'air bloqué.

Elle s'est penchée par la vitre baissée avant de pousser un long sifflement.

— On n'ira nulle part, trésor, a-t-elle dit à voix basse. On était presque arrivés à Gracetown. Les rails sont en pente raide à partir d'ici, et ensevelis sous la neige. On nous enverra peut-être de l'aide demain matin. Mais je n'en suis pas sûre. En tout cas, il ne faut pas compter là-dessus… Tu n'es pas blessée ?

— Je vais bien, l'ai-je rassurée.

Amber Numéro Un se tenait le poignet.

— Amber ! l'a interpellée une autre Amber. Qu'est-ce qui t'arrive ?

— Je me suis tordu le poignet, a gémi Amber Numéro Un. Ça fait mal.

— C'est ton bras d'appui pour la pyramide !

Six pom-pom girls m'ont signifié du regard de dégager du chemin (leur message n'avait rien de subliminal cette fois), pour qu'elles puissent atteindre leur blessée. Jeb s'est retrouvé prisonnier de la mêlée. L'intensité de la lumière a diminué, tout comme celle du chauffage, et la voix s'est à nouveau élevée dans le haut-parleur.

---

1. Chaîne de restauration américaine, qui, contrairement à ce que son nom indique (*waffle* signifie « gaufre » en anglais), n'est pas spécialisée dans les petits déjeuners.

« Mesdames et messieurs, nous sommes contraints d'économiser nos réserves d'énergie. Si vous avez des couvertures ou des pulls, nous vous conseillons de les sortir. Si vous avez froid, malgré tout, nous nous efforcerons de vous apporter de l'aide dans la mesure de nos moyens. Si vous avez des vêtements en trop, nous vous demandons de bien vouloir les partager avec les autres voyageurs. »

J'ai jeté un coup d'œil sur l'enseigne lumineuse jaune, puis sur le groupe de pom-pom girls. Deux options s'offraient à moi : rester dans ce train échoué, glacial et obscur, ou agir. Oui, je pouvais reprendre les rênes de cette journée qui m'échappait depuis trop longtemps. Je devais pouvoir traverser la route jusqu'à la Waffle House. Ils avaient sans doute du chauffage et des tonnes de nourriture, là-bas. Il fallait tenter le coup – je sentais que Noah aurait approuvé ce plan. Je me suis frayé un chemin entre les différentes Amber pour rejoindre Jeb.

— Il y a une Waffle House de l'autre côté de la route. Je vais aller voir si elle est ouverte.

— Une Waffle House, tu dis ? On doit être juste à l'entrée de la ville, alors, le long de l'autoroute, a répondu Jeb.

— Tu as perdu la tête ? m'a demandé Amber Numéro Un. Et si le train repartait ?

— Aucune chance. La contrôleuse vient de me le dire. On est bloqués ici pour la nuit. Là-bas, ils ont sans doute du chauffage, de quoi manger, et de l'espace. Tu as une autre solution ?

— On pourrait répéter nos enchaînements, a proposé une Madison d'une toute petite voix.

— Tu es sûre que c'est raisonnable d'y aller toute seule ? a repris Jeb.

Je voyais bien qu'il avait envie de m'accompagner, mais Amber s'appuyait sur lui comme si sa vie en dépendait.

— Tout ira bien, l'ai-je rassuré. C'est juste de l'autre côté de la route. Donne-moi ton numéro de téléphone et…

Il a brandi les deux morceaux de son portable d'un air contrit. J'ai acquiescé en ramassant mon sac à dos.

— Je n'en ai pas pour longtemps. Je serai bien obligée de revenir, de toute façon. Où irais-je sinon ?

3

❄❄❄

J'ai observé les alentours avant de me lancer – le couloir était glacial et glissant de neige parce que quelqu'un avait laissé la portière de la voiture ouverte. Les contrôleurs et les conducteurs faisaient les cent pas le long des rails, qu'ils éclairaient de leurs lampes torches. Comme ils se trouvaient à quelques mètres de moi, j'en ai profité.

Les marches métalliques, qui étaient déjà raides en temps normal, étaient recouvertes de neige gelée. Et elles s'arrêtaient à plus d'un mètre du sol. Je me suis assise sur la dernière pour me laisser tomber. J'ai atterri à quatre pattes dans plus de trente centimètres de neige. Mes cuisses étaient trempées, mais au moins je ne m'étais pas fait mal. Je n'avais pas beaucoup de chemin à parcourir, on était à moins de dix mètres de la route. Ensuite il me suffisait de la traverser et de me faufiler sous le rail de sécurité. J'en avais pour une minute ou deux.

Je n'avais jamais franchi une autoroute à six voies avant. L'occasion ne s'était jamais présentée, et ça m'aurait sans doute semblé une mauvaise idée, de toute façon. Mais il n'y avait pas un seul véhicule à l'horizon – on aurait pu croire que c'était la fin du monde. J'ai mis près de cinq minutes à traverser, à cause des bourrasques et des flocons qui me fouettaient les yeux. De l'autre côté de l'autoroute, il y avait une nouvelle étendue de neige. C'était peut-être de l'herbe, du ciment, ou encore de l'asphalte… Pour ce que j'en voyais, c'était blanc, et mes pieds s'y enfonçaient. Mais il y avait un trottoir enterré là-dessous, et, au bout d'un moment, j'ai trébuché sur son rebord. Quand j'ai atteint la porte de la Waffle House, j'étais trempée comme une soupe.

Il faisait chaud à l'intérieur. À vrai dire, on avait tellement poussé le chauffage que les vitres étaient couvertes de buée, et que les énormes autocollants qui les ornaient se décollaient. Les enceintes diffusaient des chants de Noël, aussi plaisants qu'une crise d'urticaire. Les odeurs de détergent et de vieille huile de friture dominaient, mais on pouvait aussi sentir de vagues effluves prometteurs de pommes de terre et d'oignons.

Côté clientèle, le tableau n'était pas plus réjouissant. Des profondeurs de la cuisine s'élevaient deux voix masculines, entrecoupées d'éclats de rire. Dans un recoin, une femme, attablée devant une assiette vide parsemée de mégots de cigarettes, se vautrait dans son malheur. Le seul employé en vue était un garçon d'environ mon âge qui veillait sur la caisse. La chemise de son uniforme, trop longue pour lui, était sortie de son pantalon, et ses cheveux en brosse dépassaient de sa visière, qui lui tombait sur le front. Son badge indiquait *Deun-Kan*.

Il était occupé à lire une BD. Mon arrivée a allumé une lueur dans ses yeux.

— Salut, a-t-il dit, tu as l'air d'avoir froid.

Finement observé. J'ai opiné. L'ennui le dévorait : ça s'entendait dans sa voix, ça se voyait dans sa façon d'être affalé sur le comptoir.

— Commande ce qui te fait plaisir, tout est gratuit, ce soir ! a-t-il lancé. Ordre du cuisinier et du gérant intérimaire. C'est-à-dire moi, dans les deux cas.

— Merci.

J'ai cru qu'il allait ajouter quelque chose, mais il s'est juste tassé sous l'effet de la honte. Les éclats de rire en provenance de la cuisine ont résonné dans le silence de la salle. Il y avait un journal et plusieurs tasses de café devant l'un des tabourets du comptoir. Je me suis installée à quelques sièges d'intervalle, dans le but de me montrer sociable. Deun-Kan a immédiatement réagi.

— Euh, tu ne devrais peut-être pas…

Il s'est aussitôt interrompu. Quelqu'un venait de sortir des toilettes, c'était un homme, la soixantaine, les cheveux d'un blond tirant sur le roux, avec des lunettes, et un ventre rebondi à cause de la bière. Ah oui, un autre détail : il était entièrement couvert de papier d'aluminium. De la tête aux pieds. Il avait même un petit chapeau en aluminium. Sans blague.

Monsieur Alu s'est installé devant le journal et les tasses de café en me saluant d'un mouvement de la tête avant que j'aie le temps de bouger.

— Comment cette nuit vous réussit ? a-t-il demandé.

— On a vu mieux, ai-je répondu en toute honnêteté.

Je ne savais pas où poser les yeux : son habit scintillant attirait le regard.

— Sale temps pour être en vadrouille.

— Je ne vous le fais pas dire, ai-je rétorqué en décidant de me focaliser sur son ventre. Sale temps.

— Vous n'auriez pas besoin d'une dépanneuse, par hasard ?

— Non, à moins que vous ne soyez capable de remorquer un train.

Il y a réfléchi un moment. Je suis toujours affreusement gênée quand mon interlocuteur n'a pas conscience que je plaisante. C'est deux fois pire quand il porte des vêtements en aluminium.

— Trop gros, a-t-il conclu en secouant la tête. Ça ne marchera pas.

Deun-Kan m'a jeté un regard qui signifiait : « Sauve-toi tant qu'il est encore temps ; moi, je suis fichu. »

Je lui ai souri avant de me passionner soudain pour la carte du restaurant. Je l'ai passée en revue plusieurs fois sans réussir à me décider entre un sandwich et une gaufre.

— Voilà du café, a lancé Deun-Kan en me tendant une tasse.

Il sentait le brûlé, mais je n'étais pas en position de faire la fine bouche. Surtout que ce type m'offrait du renfort.

— Comme ça, tu étais dans un train ? a-t-il demandé.

— Oui, ai-je riposté en pointant le doigt vers la fenêtre.

Deun-Kan et Monsieur Alu se sont tournés comme un seul homme pour regarder dans cette direction, mais la tempête avait repris de plus belle et le train était invisible.

— Non, a répété Monsieur Alu. Les trains, c'est impossible.

Il a ajusté ses poignets en aluminium pour ponctuer sa remarque.

— Ça marche ? lui ai-je demandé, ressentant le besoin d'évoquer le sujet.

— Qu'est-ce qui marche ?

— Ce truc. On dirait ces couvertures que les coureurs enfilent à la fin d'un marathon.

— Quel truc ?

— L'aluminium.

— Quel aluminium ?

À ce point de la conversation, j'ai abandonné la politesse, et Deun-Kan, pour aller m'asseoir près de la fenêtre qui subissait les assauts de la neige et du vent.

Loin d'ici, le *smörgåsbord* battait son plein. Il ne devait plus rien rester sur le buffet : les jambons gigantesques, les dindes, les boulettes de viande, les pommes de terre à la crème, les gâteaux de riz, les biscuits, les quatre variétés de poissons fumés avaient dû être engloutis…

Autrement dit, ce n'était pas le moment d'appeler Noah. Sauf qu'il m'avait demandé de lui donner des nouvelles à mon arrivée, et que je n'irais pas plus loin pour ce soir. J'ai été immédiatement basculée sur sa messagerie. Je n'avais pas réfléchi à ce que j'allais lui raconter, ni au ton que j'allais adopter. J'ai opté, par défaut, pour l'humour, et j'ai laissé un message bref, probablement incompréhensible, expliquant que j'avais échoué dans une ville inconnue, dans une Waffle House au bord d'une autoroute, où j'avais fait la connaissance d'un homme vêtu de papier d'aluminium. Ce n'est qu'en raccrochant que j'ai pris conscience qu'il croirait à une blague – d'un goût douteux –, et qu'il penserait que je n'avais pas hésité à le déranger au milieu de la fête pour la faire. Ce message irait même sans doute jusqu'à le contrarier.

Je m'apprêtais à le rappeler pour lui apprendre, d'une voix plus sincère, qu'il ne s'agissait pas d'une plaisanterie… quand une bourrasque s'est engouffrée par la porte dans un bruit de succion, signalant l'arrivée d'un nouveau client : grand, mince et, selon toute apparence, de sexe masculin. Il m'était difficile d'en dire davantage parce qu'il avait des sacs en plastique sur la tête, les mains et les pieds. C'était la deuxième personne de la soirée à avoir une habitude vestimentaire pour le moins surprenante. Cette ville commençait à me déplaire.

— J'ai perdu le contrôle de ma voiture sur Sunrise, a-t-il lancé à la cantonade. J'ai dû l'abandonner.

Deun-Kan a hoché la tête pour signifier sa sympathie.

— Besoin d'une dépanneuse ? a proposé Monsieur Alu.

— Non, merci. Il neige tellement que je ne suis même pas sûr d'être capable de la retrouver.

Une fois les sacs en plastique retirés, le type s'est trouvé être parfaitement normal : des cheveux bruns bouclés, plutôt maigre, un jean trop grand pour lui. Il a jeté un regard vers le comptoir avant de se diriger vers ma table.

— Est-ce que je peux m'asseoir ici ? a-t-il demandé à voix basse en faisant un signe de tête discret en direction de Monsieur Alu.

— Bien sûr.

— Il n'est pas méchant, a-t-il repris en chuchotant toujours, mais c'est une vraie pipelette. Je me suis retrouvé coincé pendant trente minutes, un jour. Il adore les tasses. Il peut en parler pendant des heures et des heures.

— Il s'habille toujours avec du papier d'aluminium ?

— Je serais incapable de le reconnaître sans. Je m'appelle Stuart, au fait.

— Moi, c'est... Julie.

— Comment as-tu atterri ici ?

— J'étais dans le train, ai-je dit en indiquant le rideau de neige et la nuit. Il est bloqué.

— Tu allais où ?

— En Floride, chez mes grands-parents. Mes parents sont en prison.

J'ai eu envie de tenter le coup, de le glisser comme ça dans la conversation. Je ne m'attendais pas à cette réaction : il a éclaté de rire.

— Tu es toute seule ?

— J'ai un copain.

En temps normal, je ne suis pas aussi consternante, je le jure. Mais j'étais obnubilée par Noah, et par mon message débile. Les coins de la bouche de Stuart ont tressailli, comme s'il se retenait de se marrer. Il a tambouriné sur la table en rythme tout en souriant pour faire diversion après ma sortie ridicule. J'aurais dû saisir cette occasion, évidemment. Mais je n'ai pas pu m'empêcher de me justifier.

— J'ai répondu ça, ai-je repris en voyant parfaitement que je mettais les deux pieds sur un terrain très glissant, parce que je suis censée l'appeler et que je ne capte pas.

Malheureusement pour moi, mon portable était posé juste devant moi et il affichait une rangée complète de barres. Ce que Stuart a constaté, bien sûr, même s'il n'a rien dit.

J'avais deux fois plus besoin de me justifier. Et je serais incapable de lâcher l'affaire tant que je ne lui aurais pas démontré à quel point j'étais une fille normale.

— Je n'en avais pas. Jusqu'à maintenant.

— C'est sans doute la tempête, a-t-il proposé avec bienveillance.

— Sans doute. Je vais essayer alors, ce ne sera pas long.

— Prends ton temps.

Après tout, il s'était seulement installé à ma table pour échapper à une conversation interminable avec Monsieur Alu. Je n'avais aucun compte à lui rendre. Il était même probablement ravi que j'aie interrompu cette discussion. Il s'est levé pour quitter son manteau, et d'autres sacs en plastique, environ une douzaine, s'en sont échappés. Il les a ramassés sans la moindre gêne. Il portait un uniforme Target[1], en dessous.

Je suis tombée sur le répondeur de Noah et j'ai tenté de dissimuler ma frustration en tournant la tête vers la fenêtre. Je ne voulais pas laisser un message d'explication pathétique devant Stuart, j'ai donc raccroché.

Il a haussé les épaules d'un air de demander : « Rien ? », tout en se rasseyant.

— Ils doivent être en plein *smörgåsbord*, ai-je dit.

— *Smörgåsbord* ?

— La famille de Noah est tangentiellement suédoise, ils organisent donc un *smörgåsbord* d'enfer la veille de Noël.

Je l'ai vu hausser les sourcils à « tangentiellement ». C'est un des mots préférés de Noah, et je l'adore. J'aimerais me rappeler de ne pas l'utiliser si souvent,

1. Chaîne américaine de grandes surfaces.

parce que c'est un peu *notre mot*. Et puis, quand on cherche à convaincre un inconnu qu'on n'est pas totalement frappée, recourir à l'expression « tangentiellement suédoise » n'est sans doute pas la meilleure façon d'y parvenir.

— Tout le monde aime les *smörgåsbord*, a-t-il convenu de bonne grâce.

Il était vraiment temps de changer de sujet.

— Target ? ai-je demandé en indiquant sa chemise.

Sauf que je n'ai pas pu m'empêcher de prendre un accent débile qui n'avait rien de drôle.

— Eh, oui. Tu comprends pourquoi j'ai mis ma vie en danger. Quand on fait un boulot aussi important que le mien, il faut prendre des risques. Sinon la société reste au point mort… Et ce type doit avoir un coup de fil très important à passer.

Stuart a pointé le doigt vers la fenêtre, et je me suis retournée. Jeb était devant une cabine téléphonique. Il essayait d'en ouvrir la porte, bloquée par au moins trente centimètres de neige.

— Pauvre Jeb, ai-je dit, je devrais lui prêter mon portable… maintenant que j'ai du réseau.

— Jeb ? Ah oui, c'est bien lui… Attends… Comment tu connais Jeb ?

— On était dans le même train. Il m'a expliqué qu'il allait à Gracetown. J'imagine qu'il a l'intention de finir le trajet à pied.

— Ça doit être un coup de fil très, très important, a repris Stuart en décollant l'autocollant en forme de sucre d'orge pour mieux voir. Pourquoi est-ce qu'il n'utilise pas son portable ?

— Il s'est cassé quand le train s'est écrasé.

— Votre train s'est… écrasé ?

— Contre une congère de neige, rien de grave.

Stuart allait développer le sujet de l'accident ferroviaire lorsque la porte s'est ouverte. Elles sont entrées, toutes les quatorze. Dans un tourbillon de flocons et de cris.

— J'y crois pas… ai-je lâché.

4

❄❄❄

Il n'existe aucune situation critique que le débarquement de quatorze pom-pom girls surexcitées ne vienne pas aggraver.

Il n'a pas fallu plus de trois minutes pour que le restaurant se transforme en siège de l'entreprise Amber, Amber, Amber & Madison. Elles ont établi leur campement dans plusieurs box, à l'opposé de notre table. Quelques filles m'avaient adressé au passage un signe de tête – du genre : « ah, super, tu es vivante » –, mais la plupart ne s'intéressaient pas au monde extérieur. Ce qui ne signifiait pas pour autant que personne ne s'intéressait à elles.

Deun-Kan était un nouvel homme. Dès que les pom-pom girls étaient entrées, il avait disparu. Un cri extatique étouffé nous était parvenu depuis la cuisine, puis il était réapparu, le visage illuminé. On aurait pu croire qu'il avait eu une révélation divine. Derrière lui se tenaient deux autres types, qui partageaient son extase.

— Que puis-je pour vous, mesdemoiselles ? a lancé Deun-Kan d'une voix guillerette.

— Est-ce qu'on peut répéter nos pyramides ici ? a demandé Amber Numéro Un.

Son poignet devait aller mieux. Les pom-pom girls ont la peau dure. Et elles sont cinglées. Qui affronte le blizzard pour venir s'exercer dans une Waffle House ? Je ne m'étais réfugiée ici que pour leur échapper.

— Mesdemoiselles, le restaurant est à vous.

Amber Numéro Un a apprécié la réponse.

— Est-ce que tu pourrais nettoyer le sol ? À cet endroit, là, pour qu'on ne se salisse pas les mains ? Et on aurait besoin de quelqu'un pour la parade...

C'est Deun-Kan qui a bien failli se casser une articulation en se précipitant pour aller chercher un balai. Stuart avait observé la scène en silence. Il n'affichait pas le même air triomphal que Deun-Kan et ses potes, mais la situation était loin de le laisser indifférent. Il a penché la tête, comme s'il s'efforçait de résoudre une équation mathématique très complexe.

— Les événements prennent un tour inhabituel pour l'endroit, a-t-il conclu.

— C'est le moins qu'on puisse dire. On peut trouver asile ailleurs, dans le coin ? Il y a un Starbucks, par exemple ?

Il a à peine retenu une grimace au mot *Starbucks*. Il détestait peut-être les chaînes – ce qui était bizarre pour un employé de grande surface.

— Il est fermé, a-t-il répondu. Comme tout, ou presque. Il y a bien *Le Duc et la Duchesse*, mais il ne s'agit que d'une épicerie. C'est Noël, et avec cette tempête...

Il a dû percevoir mon désespoir. Il faut dire que je m'étais mise à me taper le front contre la table.

— Je vais rentrer chez moi, a-t-il repris en glissant sa main à travers la table pour amortir les chocs. Pourquoi ne m'accompagnerais-tu pas ? Au moins, tu serais au sec. Ma mère ne me le pardonnerait jamais, si elle apprenait que je suis parti sans te proposer de venir.

J'ai pris le temps de mûrir ma décision. D'un côté, un train glacial, de l'autre, une Waffle House occupée par une bande de pom-pom girls et un type qui se prenait pour une papillote. Sans oublier que mes parents étaient les hôtes des forces de l'ordre, à des centaines de kilomètres de là, et que, cerise sur le gâteau, on connaissait la plus grosse tempête de neige de ces cinquante dernières années. J'avais effectivement besoin d'un point de chute.

Et pourtant, j'avais du mal à ignorer l'alarme qui hurlait dans ma tête : « Inconnu = Danger », même si l'inconnu en question était celui qui prenait le plus de risques. C'était moi qui avais donné tous les signes de déséquilibre. À sa place, je n'aurais jamais ramené chez moi une dingue pareille.

— Tiens, a-t-il dit en me tendant sa carte d'employé, si tu veux te rassurer. Ils n'embauchent pas *n'importe qui* chez Target. Et voilà mon permis de conduire… Ne fais pas attention à la coupe de cheveux, s'il te plaît… Mon nom, mon adresse, mon numéro de sécu, tout y est.

Il a sorti toutes les cartes de son portefeuille pour pousser la blague jusqu'au bout. Dans un des rabats en plastique, j'ai aperçu une photo le représentant en compagnie d'une fille, apparemment à un bal de promo. Ça m'a rassurée. C'était un mec normal, il avait une copine, et même un nom de famille : Weintraub.

— C'est loin ? ai-je demandé.

— À peine un kilomètre dans cette direction, a-t-il répondu en indiquant une masse informe qui aurait pu être un pâté de maisons, un bosquet, ou une figurine grandeur nature représentant Godzilla.

— Un kilomètre ?

— Oui, enfin, en prenant le raccourci. Sinon, c'est presque le double. Ce ne sera pas si terrible. J'aurais pu rentrer directement après avoir planté la voiture, mais c'était ouvert, et je me suis arrêté pour me réchauffer.

— Tu es sûr que ça ne dérangera pas tes parents ?

— Je suis très sérieux : ma mère me ferait réellement la tête au carré si je n'offrais pas mon aide le soir de Noël.

Deun-Kan a sauté par-dessus le comptoir avec un balai, manquant de s'empaler au passage. Il a entrepris de nettoyer le sol autour des pieds d'Amber Numéro Un. Dehors, Jeb avait réussi à entrer dans la cabine. Il avait apparemment ses propres problèmes à régler. J'étais seule.

— Entendu, ai-je dit. Je viens.

Personne n'a remarqué qu'on se levait pour partir, à part Monsieur Alu. Il tournait le dos aux pom-pom girls, qui ne l'intéressaient pas le moins du monde, et il nous a salués quand nous sommes passés près de lui.

— Il te faut un bonnet, a lancé Stuart quand nous avons pénétré dans le sas glacial.

— Je n'en ai pas. J'allais en Floride…

— Moi non plus, je n'ai pas de bonnet. Mais j'ai ça…

Il a brandi un sac en plastique et m'a montré comment le mettre en formant un petit turban qui bouffait sur le devant. Amber, Amber et Amber auraient sans doute refusé de porter un tel couvre-chef. Désireuse de montrer que je n'étais pas comme elles, j'ai pris le sac pour envelopper ma tête.

— Tu devrais aussi en prendre pour tes mains. En revanche, je ne sais pas quoi faire pour tes jambes, tu dois être gelée.

C'était le cas, mais, ne me demandez pas pourquoi, je ne voulais pas qu'il pense que j'étais totalement démunie.

— Non, ai-je donc menti, ces collants sont très épais. Et ces bottines... très résistantes. Mais je vais mettre ces sacs sur mes mains.

Il a haussé un sourcil.

— Tu es certaine ?

— Sûre et certaine.

Stuart a poussé de toutes ses forces pour ouvrir la porte, que le vent et la neige accumulée bloquaient. J'avais déjà vu des rafales de neige laisser une couche blanche de plusieurs centimètres d'épaisseur, mais ces flocons-là, collants et lourds, avaient la taille de grosses pièces de monnaie. En quelques secondes, j'ai été trempée. J'ai marqué une hésitation au pied des marches, et Stuart s'est retourné pour voir comment j'allais.

— Tu es sûre ? a-t-il redemandé.

Je savais que si je ne rebroussais pas chemin immédiatement il faudrait tenir jusqu'au bout. J'ai jeté un bref coup d'œil par-dessus mon épaule et j'ai vu que les trois Madison formaient une pyramide au milieu du restaurant.

— Oui, en route.

5

❄❄❄

Nous avons emprunté une petite route, à l'arrière du restaurant. Seules les lumières clignotantes des feux de circulation, qui projetaient une lueur orange, nous guidaient. Il régnait la même ambiance postapocalyptique que sur l'autoroute. Nous sommes restés silencieux pendant au moins quinze minutes. Parler nous prenait l'énergie dont nous avions besoin pour avancer, et ouvrir la bouche laissait entrer l'air froid.

Chaque pas constituait une épreuve. La neige était si épaisse et poisseuse que j'avais du mal à extraire mon pied de ma propre empreinte. Mes jambes étaient tellement gelées qu'elles me brûlaient. Les sacs en plastique se révélaient plutôt efficaces, en revanche. Une fois que nous avons eu trouvé notre rythme, Stuart a engagé la conversation.

— Tes parents, ils sont où, en réalité ?

— En prison.

— C'est ça. Tu sais, quand je dis « en réalité »...

— Ils sont en prison, ai-je répété pour la troisième fois, de ma voix la plus ferme.

Elle l'a apparemment convaincu, puisqu'il a pris le temps de réfléchir avant de reprendre :

— Pour quelle raison ?

— Ils se sont retrouvés dans une… émeute.

— Ce sont des protestataires ?

— Des consommateurs. Ils ont été pris dans une émeute devant un magasin.

Il s'est aussitôt figé.

— Ne me dis pas qu'ils étaient au salon Flobie.

— Si…

— Oh, mon Dieu ! Tes parents font partie des « Cinq de Flobie ».

— Les « Cinq de Flobie » ? ai-je répété d'une petite voix.

— C'était le sujet du jour au travail. Je crois bien que tous les clients en ont parlé. Les images de l'émeute sont passées en boucle aux infos…

Des images ? En boucle ? Oh, parfait. Parfait, vraiment. J'avais des parents célèbres – le rêve de n'importe quelle adolescente. Je me suis remise en route.

— Tout le monde soutient les « Cinq de Flobie », a-t-il repris sans bouger. Enfin un tas de personnes du moins. Ou plutôt, beaucoup trouvent ça amusant.

Il s'est soudain rendu compte que, moi, j'avais toutes les raisons de ne pas trouver ça drôle : à cause de cette histoire, je me retrouvais dans une ville inconnue le soir de Noël avec un sac en plastique sur la tête.

— CNN va vouloir t'interviewer, c'est forcé, a-t-il dit en faisant de grandes enjambées pour me dépasser. La fille de Flobie ! Mais ne t'inquiète pas, je les empêcherai d'approcher !

Il a feint de repousser des journalistes et de boxer des photographes, ce qui n'était pas évident avec la neige. Il a réussi à me remonter le moral, et j'ai accepté de jouer mon rôle : j'ai placé mes mains devant mon visage comme si les flashs crépitaient. On a continué un moment, ça nous évitait de penser à la situation.

— C'est ridicule, ai-je fini par lancer après avoir manqué de trébucher en voulant éviter un paparazzi imaginaire. Mes parents sont en prison à cause d'une maison en céramique.

— C'est toujours mieux que d'être en prison pour trafic de drogue, non ? a-t-il répliqué en revenant se placer à côté de moi.

— Tu es toujours aussi optimiste ?

— Toujours. C'est une condition *sine qua non* pour travailler chez Target. Je suis un peu Monsieur Optimisme.

— Ta copine doit trouver ça géant !

Mon unique objectif était de démontrer que j'étais intelligente et observatrice. Je m'attendais à ce qu'il demande : « Comment sais-tu... ? » J'aurais répondu : « J'ai vu la photo dans ton portefeuille. » Il aurait alors pensé que je n'avais rien à envier à Sherlock Holmes, et je lui aurais paru moins cinglée. Mais ce n'est pas ce qui est arrivé. Il a tourné la tête dans ma direction d'un mouvement brusque avant de fixer la route et d'accélérer le pas. Sa bonne humeur s'était envolée.

— On n'est plus très loin, mais il faut faire un choix. Il y a deux options à partir d'ici. Continuer sur cette rue, ce qui, à ce rythme, nous prendra environ quarante-cinq minutes pour atteindre ma maison. Ou emprunter le raccourci.

— Le raccourci. Sans hésiter.

— C'est beaucoup, beaucoup plus court, parce que la rue forme un virage alors que le raccourci coupe tout droit. Je le choisirais les yeux fermés si j'étais tout seul…

— Le raccourci.

La neige et le vent me brûlaient le visage, je ne voulais pas en savoir plus. De toute façon, ça ne pouvait pas être pire. Et Stuart avait l'intention de prendre ce chemin-là depuis le début, il n'y avait donc aucune raison de le faire renoncer.

— Très bien. En gros, le raccourci nous amène derrière ces maisons. La mienne est juste au-delà, à environ deux cents mètres. Je crois.

Nous avons quitté la rue illuminée par les feux de circulation pour nous engager dans un chemin obscur qui longeait des habitations. J'ai sorti mon téléphone. Il n'y avait aucun appel de Noah. J'ai tenté de cacher ma déception, mais Stuart ne s'y est pas trompé.

— Il n'a pas appelé ? a-t-il demandé.

— Pas encore. Il doit être occupé.

— Il est au courant pour tes parents ?

— Oui, je lui raconte tout.

— Et ça marche dans les deux sens ?

— Qu'est-ce qui marche dans les deux sens ?

— Tu as dit que tu lui racontais tout, a-t-il répondu. Tu n'as pas dit : « On se raconte tout. »

Où voulait-il en venir ?

— Bien sûr, ai-je aussitôt rétorqué.

— Il est comment ? En plus d'être tangentiellement suédois ?

— Intelligent. Mais pas du genre prétentieux, comme ces gens qui se sentent obligés de placer dans la conversation qu'ils ont eu une bonne note à un exam ou qu'ils sont dans les premiers de la classe. Il est juste naturellement intelligent. Il n'a même pas besoin de travailler dur, et il s'en fiche d'avoir de bons résultats, d'ailleurs. Mais il est excellent. Vraiment. Et il joue au foot. Il participe aussi aux compétitions de maths du lycée. C'est le type le plus brillant de la Terre.

Vous ne rêvez pas, c'est exactement ce que j'ai répondu. Un vrai discours commercial. J'ai de nouveau découvert sur le visage de Stuart ce sourire narquois qui disait : « J'essaie de ne pas me moquer de toi. » Mais quelle réponse aurais-je dû apporter à cette question ? Tous les gens que je connaissais savaient qui était Noah, ce qu'il faisait. C'était la première fois que j'avais besoin de l'expliquer.

— Joli CV... a repris Stuart, sans avoir, le moins du monde, l'air impressionné. Mais il est comment ?

Bon sang, cette conversation allait-elle se terminer un jour ?

— Il est... comme je viens de le décrire.

— De caractère ? Est-ce qu'il compose des poèmes en secret ? Est-ce qu'il danse dans sa chambre quand il se croit seul ? Est-ce qu'il est aussi drôle que toi ? Qu'est-ce qui le définit ?

J'avais le sentiment que Stuart se payait ma tête, bien qu'il m'ait demandé si Noah était aussi drôle que moi, ce qui revenait à un compliment. Noah était un tas de choses, mais non, il n'était pas drôle. Il devait me trouver amusante, mais, vous l'avez sans doute remarqué, j'ai parfois du mal à m'arrêter de parler et il me semblait souvent que je lui tapais sur les nerfs.

— Il est passionné. Voilà ce qui le définit.

— Dans le bon sens du terme ?

— Est-ce que je sortirais avec lui autrement ? C'est encore loin ?

Stuart a fini par comprendre le message. Nous avons marché en silence jusqu'à atteindre une percée entre des arbres. Au loin, j'apercevais d'autres maisons, au sommet d'une pente. Je distinguais difficilement leurs guirlandes de Noël. La neige était si dense que tout était brouillé. Ce qui aurait été magnifique si ça ne m'avait pas autant piqué les yeux. Mes mains me brûlaient, et mes jambes ne me porteraient plus longtemps.

Stuart a tendu un bras pour m'arrêter.

— Il faut que je t'avoue un truc. On va franchir un petit ruisseau. Il est gelé, j'ai vu des gamins glisser dessus, tout à l'heure.

— Il est profond ?

— Pas très. Un mètre cinquante, peut-être.

— Où se trouve-t-il ?

— Par là, devant nous.

J'ai fouillé du regard le paysage vide. Quelque part, enfoui sous la neige, coulait un cours d'eau.

— On peut rebrousser chemin, si tu veux, a-t-il proposé.

— Tu avais l'intention de le traverser, non ?

— Ouais, mais tu n'as rien à me prouver.

— C'est bon, ai-je répondu d'une voix très assurée pour quelqu'un qui ne l'était absolument pas. Alors, on continue tout droit ?

— C'est l'idée.

Nous avons su que nous avions atteint le ruisseau quand la neige est devenue moins épaisse et que nos pieds ont rencontré une surface légèrement glissante. Stuart a choisi ce moment-là pour relancer la conversation.

— Ces types, à la Waffle House, sont de sacrés veinards. Ils vont passer la meilleure nuit de leur vie.

L'intonation de sa voix sonnait comme un défi. Il attendait que je morde à l'hameçon, et je n'aurais pas dû évidemment. Je n'ai pas pu m'en empêcher, pourtant.

— Pourquoi les mecs sont-ils aussi prévisibles ?

— Prévisibles ? a-t-il répété en me coulant un regard de biais, ce qui lui a fait légèrement perdre l'équilibre.

— En quoi ont-ils de la chance ?

— Ils sont coincés dans un restaurant avec près d'une quinzaine de pom-pom girls.

— D'où vous vient cette arrogance ? ai-je demandé d'un ton un peu plus acide que je ne l'aurais voulu. Vous vous figurez vraiment que parce que vous êtes les seuls mecs du coin les filles vont forcément se jeter sur vous ?

— Ce n'est pas le cas ?

Je n'ai pas daigné répondre.

— Pourquoi les pom-pom girls te dérangent-elles ? a-t-il repris, ravi d'avoir réussi à me faire sortir de mes gonds. Je ne dis pas que je les adore, mais je n'ai pas de préjugé contre elles.

— Ce n'est pas un préjugé, ai-je répliqué d'un ton ferme.

— Ah bon ? Qu'est-ce qui te chiffonne, alors ?

— Le concept de pom-pom girl. Les filles, en minijupe, qui hurlent aux garçons combien ils sont formidables. Et qui misent uniquement sur leur physique.

— Je me trompe peut-être, a-t-il enchaîné d'un ton railleur, mais tu viens de juger un groupe de personnes que tu ne connais pas sur leur apparence et d'en tirer des conclusions… ça ressemblerait bien à un préjugé…

— Ce n'est pas un préjugé ! ai-je crié.

Je ne me contrôlais plus. Nous étions plongés dans une obscurité profonde, au-dessus de nos têtes le ciel d'étain était trouble, alentour les contours des arbres nus et décharnés étaient pareils à des mains osseuses jaillissant de terre, à nos pieds le blanc s'étendait à l'infini et les flocons tourbillonnaient. Sans oublier le sifflement solitaire du vent et les ombres des maisons.

— Écoute, a insisté Stuart, qui refusait d'arrêter cette conversation débile, comment peux-tu affirmer que, pendant leur temps libre, elles ne sont pas secouristes ? Qu'elles ne travaillent pas à la SPA ou à la soupe populaire, ou…

— Parce que ce n'est pas le cas, ai-je dit en accélérant le pas pour le dépasser. Quand elles ont du temps, elles prennent rendez-vous chez l'esthéticienne.

— Tu n'en sais rien, a-t-il lancé dans mon dos.

— Je n'aurais jamais eu cette discussion avec Noah. Je n'aurais pas eu besoin de lui expliquer un truc pareil.

— Oui, eh bien, je ne peux pas dire que tu m'aies convaincu qu'il soit le type formidable que tu décris.

La coupe était pleine. J'ai rebroussé chemin d'un pas décidé.

— Où vas-tu ? Allez…

Je martelais le sol pour assurer ma progression.

— C'est loin ! a-t-il dit en se précipitant pour m'arrêter. Allez…

— Je pense qu'il vaudrait mieux…

J'ai été interrompue par un bruit qui n'était ni le sifflement du vent, ni le crissement de la neige. Un bruit sec qui rappelait le crépitement d'une bûche dans un feu, et qui était terriblement ironique. Nous nous sommes tous deux figés à l'endroit où nous nous tenions. Stuart m'a jeté un regard paniqué.

— Ne bou…

Et le sol s'est dérobé sous nos pieds.

6

❄❄❄

Pour ceux qui ne sont jamais tombés dans un ruisseau glacé, voilà comment les choses se déroulent :

1. On a froid. Si froid que le ministère de la Mesure et de la Régulation de la température, situé dans le cerveau, analyse les données et en conclut : « Nous ne pouvons pas gérer cette situation, nous n'avons pas les compétences requises. » Il installe un panneau *En pause déjeuner* sur sa porte d'entrée et passe le relais…

2. … au ministère de la Douleur et de ses Effets secondaires, qui, suite au rapport incompréhensible du ministère de la Température, déclare : « Ce n'est pas de notre ressort. » Il se contente de presser des boutons au hasard, procurant des sensations étranges et désagréables à la victime, avant d'appeler…

3. … le bureau de la Confusion et de la Panique, où il se trouve toujours quelqu'un pour bondir sur le téléphone. Cette administration-là, au moins, est prête à prendre des mesures. Elle adore intervenir.

Bref, pendant un quart de seconde, Stuart et moi avons été incapables de réagir à cause du bazar administratif dans nos têtes. Lorsque nous avons repris nos esprits, j'ai à peu près réussi à analyser la situation. La bonne nouvelle était que l'eau ne dépassait pas notre poitrine. Enfin, *ma* poitrine. Elle s'arrêtait exactement au niveau de mes seins. Stuart, lui, en avait jusqu'à la taille. La mauvaise nouvelle était que nous étions dans un trou au milieu de la glace, dont on ne sort pas facilement quand on est paralysé par le froid. Nous avons tous les deux essayé de nous hisser à la surface, mais la couche supérieure cédait chaque fois que nous prenions appui sur elle.

Instinctivement, nous nous sommes tenus par les bras.

— Bien, a dit Stuart qui tremblait comme une feuille. C'est ge-gelé. On est dans la m-mouise.

— Ah bon ? Tu trouves ? ai-je crié.

Sauf qu'il n'y avait pas assez d'air dans mes poumons pour me permettre de hurler, mon cri ressemblait donc plutôt à un couinement hystérique.

— I-il… f-faut… qu-qu'on la b-brise.

J'avais eu la même idée, mais c'était rassurant de l'entendre dans la bouche de quelqu'un d'autre. Nous nous sommes mis à fendre la glace en abattant nos bras tendus comme des robots jusqu'à nous rapprocher du bord du ruisseau, où la partie solide était plus épaisse.

— J-je v-vais te f-faire la c-courte échelle, a-t-il proposé.

J'ai essayé de bouger mes jambes, mais elles refusaient de me répondre tellement elles étaient engourdies. Quand j'ai enfin réussi à en plier une, les mains de Stuart étaient trop gelées pour me soulever. Après plusieurs tentatives, j'ai réussi à prendre appui sur la rive. J'ai alors fait une importante découverte : la glace n'offre pas une prise facile – ça glisse ! –, surtout quand on a les mains recouvertes de sacs en plastique mouillés. Une fois tirée d'affaire, j'ai tendu le bras pour aider Stuart, qui a atterri à plat ventre sur la neige.

Nous étions sortis, ce qui, étrangement, était encore plus pénible que d'être dans l'eau.

— Ce-ce… n-n'est… p-pas… loin…

J'avais du mal à comprendre ce que Stuart disait. J'avais l'impression que mes poumons ne fonctionnaient plus. Il m'a pris la main et m'a entraînée au sommet de la pente. S'il ne m'avait pas traînée, je ne serais jamais parvenue en haut.

Je n'avais, de toute ma vie, été aussi heureuse de voir une maison. Elle était éclairée par une guirlande verte parsemée de minuscules points rouges. La porte de la cuisine n'était pas fermée à clé, et elle ouvrait sur le paradis. Il ne s'agissait pas de la maison la plus incroyable du monde, non, mais elle était chauffée, et elle embaumait la dinde, les biscuits et le sapin de Noël. Stuart ne m'a pas lâché la main avant de m'avoir conduite devant la salle de bains.

— Voilà, a-t-il dit en me poussant à l'intérieur. Une douche. Tout de suite. Chaude.

La porte a claqué, et j'ai arraché mes vêtements, effroyablement lourds, gorgés d'eau, de neige et de boue. J'ai tourné d'une main tremblante le robinet.

Je suis restée longtemps sous la douche, appuyée contre le mur. La vapeur a envahi la petite pièce. La température de l'eau a varié à une ou deux reprises, sans doute parce que Stuart prenait lui aussi une douche quelque part dans la maison.

Je n'ai coupé l'eau que lorsqu'elle est devenue froide. Mes vêtements avaient disparu : quelqu'un les avait récupérés sans que je m'en rende compte. À leur place se trouvaient deux grandes serviettes, un pantalon de jogging, un sweat-shirt, des chaussettes et des pantoufles. C'étaient des vêtements de garçon, à l'exception des chaussettes et des pantoufles. Les premières étaient épaisses et roses, les secondes, usées jusqu'à la corde, en fourrure synthétique blanche.

J'ai attrapé ce qui me tombait sous la main – le sweat-shirt –, et je l'ai brandi devant moi pour dissimuler ma nudité, même si, à l'évidence, j'étais de nouveau seule dans la pièce. Quelqu'un était entré en douce pour échanger mes vêtements contre d'autres. Stuart ? M'avait-il vue nue ? Est-ce que c'était vraiment important au point où on en était ?

Je me suis habillée en vitesse. J'ai entrouvert la porte pour jeter un coup d'œil à l'extérieur : la cuisine semblait vide. J'ai écarté le battant davantage, et une femme a surgi de nulle part. Elle avait l'âge d'une maman, des cheveux blonds frisés endommagés par une coloration à domicile. Elle portait un sweat-shirt avec une photo de deux koalas enlacés dans des bonnets de père Noël. C'est pourtant la tasse fumante qu'elle tenait dans la main qui a vraiment attiré mon attention.

— Ma pauvre chérie ! s'est-elle écriée (j'aurais parié qu'on devait l'entendre à l'autre bout du supermarché quand elle appelait son fils). Stuart est en haut. Je suis sa maman.

J'ai accepté la tasse – je l'aurais fait même si ça avait été du poison, de toute façon.

— Ma pauvre chérie, a-t-elle répété. Ne t'inquiète pas, nous allons te réchauffer. Je suis désolée de ne rien avoir de plus seyant. Ces vêtements sont à Stuart, ce sont les seuls que j'aie pu dégoter. J'ai mis les tiens à la machine. Tes bottines et ton manteau sont en train de sécher sur le radiateur. Si tu veux téléphoner à quelqu'un, n'hésite pas.

Voilà le premier contact que j'ai eu avec la mère de Stuart – Debbie, comme elle m'a demandé de l'appeler. Je la connaissais à peine depuis vingt secondes, mais elle avait déjà vu mes sous-vêtements et elle m'avait donné les habits de son fils. Elle m'a aussitôt installée à la table de la cuisine avant de sortir du réfrigérateur une quantité inimaginable d'assiettes recouvertes de film transparent.

— Nous avons dîné de bonne heure, pendant que Stuart travaillait, mais j'ai vu trop grand ! Beaucoup trop grand ! Régale-toi !

Il restait effectivement de quoi festoyer : dinde, purée de pommes de terre, sauce, farce… Elle a insisté pour que je remplisse bien mon assiette et que je prenne aussi un bol de soupe au poulet brûlante. Ça tombait bien, je n'avais sans doute jamais été aussi affamée de toute ma vie.

Stuart est apparu dans l'embrasure de la porte. Il avait, lui aussi, revêtu des vêtements chauds et confortables : un bas de pyjama en flanelle et un pull torsadé déformé. C'était peut-être le sentiment de reconnaissance, le bonheur général d'être en vie, l'absence de sac sur la tête, je ne sais pas… mais je l'ai trouvé beau. Et il ne m'agaçait plus du tout.

— Tu installeras le lit de Julie ? lui a demandé sa mère. N'oublie pas d'éteindre le sapin pour qu'il ne l'empêche pas de dormir.

— Je suis confuse de vous déranger… suis-je intervenue.

Je venais seulement de réaliser que j'avais débarqué dans leur vie le soir de Noël.

— Ne t'excuse pas, surtout ! Je suis ravie que tu aies eu la bonne idée de venir ici ! On va s'occuper de toi. Donne-lui plusieurs couvertures, Stuart.

— Je m'en charge, maman, l'a-t-il rassurée.

— Il lui en faut une tout de suite. Regarde : elle tremble. Et toi aussi ! Assieds-toi.

Elle s'est précipitée dans le salon, et Stuart a haussé les sourcils d'un air de dire : « Ça risque de durer un moment. » Elle est revenue avec deux plaids en laine polaire. Elle m'a emmaillotée comme un bébé, je ne pouvais presque plus bouger les bras.

— Tu veux un autre chocolat chaud ? Ou un thé ? Nous en avons de plusieurs sortes.

— Je m'en charge, maman, a répété Stuart.

— Encore un peu de soupe ? Tu dois manger ta soupe. C'est moi qui l'ai faite, et c'est le meilleur remède au coup de froid que…

— Je m'en occupe, maman.

Debbie a pris mon bol de soupe à moitié vide pour le remplir à ras bord.

— Veille bien à lui montrer où tout se trouve, Stuart. Comme ça, si tu as besoin de quoi que ce soit pendant la nuit, Julie, tu pourras te servir. Fais comme chez toi. Tu es de la famille, maintenant.

Ça partait d'un bon sentiment, mais il m'a semblé qu'elle allait vite en besogne…

7

❄❄❄

Nous nous sommes empiffrés en silence, Stuart et moi, après le départ de Debbie. Sauf que je sentais sa présence. Stuart passait d'ailleurs son temps à regarder autour de lui.

— Cette soupe est incroyable, ai-je lancé (c'était une remarque idéale si les oreilles de Debbie traînaient, non ?). Je n'ai jamais rien mangé de pareil. Ces boulettes sont délicieuses…

— C'est parce que tu n'es pas juive, a-t-il dit en se levant pour aller fermer la porte coulissante de la cuisine. Ce sont des boulettes de pain azyme.

— Tu es juif ?

Stuart a brandi un doigt pour me signifier d'attendre. Il a donné un coup dans la porte coulissante, et nous avons entendu une série de petits pas précipités dans l'escalier.

— Désolé, on n'était pas seuls. Sans doute des souris… Ouais, ma mère est juive. Théoriquement. Mais elle est obsédée par Noël. Je crois qu'elle est prête à tout pour entrer dans le moule. Elle n'a d'ailleurs pas vraiment le sens de la mesure.

La cuisine était entièrement décorée aux couleurs des fêtes. Les torchons, les dessous-de-plat, les aimants sur le frigo, les rideaux, la nappe, le centre de table… Plus j'observais la pièce, plus ça me sautait aux yeux.

— Tu as remarqué la girandole de houx électrique en entrant ? a demandé Stuart. Notre maison ne se retrouvera jamais en couverture d'un magazine juif à ce rythme-là.

— Mais alors, pourquoi…

— Parce que c'est ce que font les gens, a-t-il rétorqué en haussant les épaules et en avalant un autre morceau de dinde. Surtout dans le coin. Il n'y a pas de communauté juive active. On n'était que deux en cours d'hébreu, moi et une fille.

— Ta copine ?

Une expression de surprise amusée est passée sur son visage.

— Ce n'est pas parce qu'on n'était que deux qu'on devait obligatoirement sortir ensemble ! Personne n'a décrété : « Très bien, vous, les deux Juifs, embrassez-vous ! » Non, ce n'est pas ma copine.

— Désolée, me suis-je empressée de répondre.

C'était la deuxième fois que je faisais allusion à sa petite amie – toujours dans l'espoir de démontrer mon talent d'observatrice –, et la deuxième fois qu'il esquivait. Le message était clair : il préférait éviter le sujet… Je l'aurais pourtant cru du genre à aimer en parler pendant des heures et des heures.

— Aucun problème, a-t-il dit.

Il s'est resservi de la dinde, sans montrer le moindre signe d'exaspération.

— J'ai tendance à penser, a-t-il poursuivi, que les gens apprécient notre présence. Comme si elle ajoutait une plus-value au voisinage. Il y a un terrain de jeu, un système de recyclage des déchets, et deux familles juives.

— C'est un peu bizarre, non ? ai-je demandé en prenant la salière en forme de bonhomme de neige. Toutes ces décorations…

— Peut-être. Mais tout ce décorum autour de Noël fait tellement toc, de toute façon… Ma mère adore les fêtes. Le reste de notre famille ne comprend pas pourquoi nous avons un sapin. Tout simplement parce qu'on trouve ça chouette. Ce n'est pas comme si c'était un symbole religieux.

— C'est vrai… Ton père, il en pense quoi ?

— Aucune idée. Il ne vit pas ici, a-t-il répondu imperturbablement.

Il s'est mis à taper en rythme sur la table, comme au restaurant, pour clore le sujet.

— Je vais chercher de quoi préparer ton lit, je reviens.

Je me suis rendue au salon. Il y avait deux sapins de Noël : un minuscule devant la fenêtre, et un immense – qui mesurait facilement plus de deux mètres – dans un coin. Il ployait sous le poids des décorations faites à la main, des nombreuses girandoles et des dizaines de guirlandes argentées.

Il y avait également un piano, encombré de partitions, annotées pour certaines. Je ne joue d'aucun instrument – et l'écriture musicale m'a toujours paru complexe –, mais là ça dépassait tout ce que j'avais vu. Le piano n'était pas là pour la déco…

Mon regard a immédiatement été attiré par ce qui ornait l'extrémité de l'instrument : un Village de Noël de Flobie. Il était beaucoup plus petit que le nôtre, et son enceinte était délimitée par une petite guirlande.

— Ça te rappelle quelque chose, non ? a demandé Stuart en déposant un énorme chargement de couvertures et d'oreillers sur le canapé.

Il comptait cinq bâtisses – la Taverne des Gais Lurons, le Magasin en boules de gomme, la Fabrique de pain d'épice, l'Elfatéria et le Glacier.

— Vous devez en avoir plus, a-t-il dit.

— Cinquante-six.

Il a poussé un sifflement d'admiration en allumant les différentes pièces une par une.

— Ma mère pense que ce Village a énormément de valeur. Elle en prend soin comme s'il s'agissait du Saint-Graal.

— Ils sont tous dans ce cas-là, l'ai-je rassuré.

J'ai passé les éléments en revue d'un œil expert. Généralement, je ne me vante pas d'en connaître autant sur le sujet, même si je pourrais très bien tenir un stand dans un salon.

— Tu vois, ai-je lancé en lui montrant la Taverne des Gais Lurons, ce bâtiment-là a de la valeur. Il est en brique, et le pourtour de ses fenêtres est vert, signe qu'il est de la première génération. L'année suivante, ils l'ont peint en noir.

Je l'ai soulevé avec précaution pour regarder sous son socle.

— Il n'est pas numéroté, ai-je conclu après l'avoir examiné. N'empêche… les pièces de la première génération ont de la valeur. En plus, ils ont retiré la Taverne des Gais Lurons du catalogue il y a cinq ans, ce qui lui en donne encore plus. Il doit valoir dans les quatre cents dollars… Sauf qu'on dirait que la cheminée a été recollée.

— Ah oui… grâce à ma sœur.

— Tu as une sœur ?

— Rachel. Elle a cinq ans. Ne t'inquiète pas, tu la rencontreras. Tu connais Flobie sur le bout des doigts, c'est impressionnant.

— Je ne suis pas sûre que ce soit le bon adjectif. *Déprimant* conviendrait mieux.

Il a éteint les bâtiments.

— Qui joue du piano ? ai-je demandé.

— Moi. C'est le don que j'ai reçu en partage. Nous en avons tous un, non ? a-t-il rétorqué en faisant une grimace hilarante.

— Tu ne devrais pas négliger ce talent, ai-je dit. Les facs aiment toujours les musiciens.

Si je voulais passer pour la nana obsédée par son entrée à l'université, c'était réussi ! En y réfléchissant, c'était une remarque typique de Noah. Je n'avais jamais perçu à quel point elle était odieuse.

— Désolée, ai-je repris, je raconte n'importe quoi. Je suis fatiguée.

Il a fait un mouvement de la main, comme pour signifier qu'il n'avait besoin ni d'explication ni d'excuse.

— Les mères de famille se rangent à ton avis. Et les voisins. Je suis un peu le singe savant du quartier. Heureusement pour moi, j'adore jouer. Alors… voici des draps, des oreillers, et…

— C'est parfait, merci beaucoup. C'est vraiment gentil de ta part d'avoir proposé de m'héberger.

— Je t'en prie.

Il s'est engagé dans l'escalier, mais s'est arrêté à mi-chemin.

— Eh, désolé si j'ai été un peu débile tout à l'heure, quand on marchait. C'est juste que…

— Je sais. Il faisait froid ; on était de mauvais poil. Ne t'inquiète pas, je suis désolée aussi. Et merci encore.

J'ai cru qu'il allait ajouter quelque chose, mais il s'est contenté d'acquiescer et de poursuivre son ascension. Quand il a atteint le palier, il a redescendu quelques marches. Il s'est penché entre les derniers balustres de la rampe.

— Joyeux Noël, a-t-il ajouté avant de disparaître.

Mes yeux se sont aussitôt emplis de larmes. Je venais de prendre conscience que mes parents me manquaient, comme Noah. Et comme ma maison. La mère de Stuart avait fait de son mieux, mais elle n'était pas ma mère. Et Stuart n'était pas mon copain. Je me suis tournée et retournée sur le canapé au son des ronflements d'un chien (il me semblait que c'en était un, en tout cas) à l'étage et de l'horloge qui égrenait bruyamment les secondes. Au bout de deux heures, je n'avais toujours pas trouvé le sommeil.

Je me suis mise en quête de mon manteau : mon téléphone était dans une de ses poches. Il était pendu au-dessus d'une bouche de chaleur dans la buanderie. Apparemment, mon portable n'avait pas apprécié d'être plongé dans l'eau glaciale. L'écran n'affichait rien. Pas étonnant que je n'aie eu aucune nouvelle.

Il y avait un téléphone sur le comptoir de la cuisine. J'ai décroché le combiné sans un bruit et composé le numéro de Noah. Il a répondu à la quatrième sonnerie, il avait l'air totalement déboussolé.

— C'est moi, ai-je murmuré.

— Ju ? a-t-il demandé d'une voix pleine de sommeil. Quelle heure est-il ?

— Trois heures du matin. Tu n'as jamais rappelé.

Il a reniflé tout en essayant, j'imagine, de mettre de l'ordre dans ses idées.

— Désolé, j'ai été pris toute la soirée. Tu sais comment est ma mère avec son *smörgåsbord*. Est-ce qu'on peut se parler demain ? Je t'appellerai dès qu'on aura ouvert les cadeaux.

Je suis restée silencieuse. J'avais affronté la pire tempête de l'année, du siècle peut-être, j'étais tombée dans un ruisseau gelé, mes parents passaient la nuit en prison… et il n'avait toujours pas de temps pour moi ?

Il avait eu une longue soirée, et je n'allais pas user mes forces à lui raconter ce qui m'était arrivé alors qu'il dormait à moitié. Les gens sont incapables de compatir lorsqu'ils viennent d'être réveillés, et j'avais besoin de son soutien à cent pour cent.

— Bien sûr, à demain.

Je suis retournée m'enfouir sous les couvertures et les oreillers. Une odeur puissante s'en dégageait. Elle n'était pas désagréable, simplement c'était l'odeur d'une lessive que je ne connaissais pas.

Parfois, Noah me déboussolait. Parfois, j'avais même le sentiment qu'il sortait avec moi parce que ça l'arrangeait, comme si pour entrer à la fac il fallait cocher la case : « J'ai une copine dotée de compétences intellectuelles suffisantes pour partager mes aspirations et parfaitement préparée à supporter une disponibilité limitée. Une copine qui aime m'écouter parler de ma réussite personnelle des heures durant. »

La peur et le froid me donnaient ces idées noires. C'était le fait de me retrouver dans une maison étrangère, loin des miens. C'était l'inquiétude de savoir que mes parents avaient été arrêtés dans une émeute à cause de maisonnettes en céramique. Si je réussissais à dormir, je retrouverais mes esprits.

J'ai fermé les yeux. J'ai eu l'impression que les tourbillons de neige tombaient aussi à l'intérieur. La tête m'a tourné pendant un temps, je me suis sentie nauséeuse, puis j'ai sombré dans un sommeil profond, très profond, peuplé de pyramides de pom-pom girls.

8

❄❄❄

Le réveil a pris la forme d'une fillette de cinq ans me sautant sur le ventre. Mes paupières se sont ouvertes d'un seul coup.

— Tu es qui ? a-t-elle demandé d'une voix excitée. Je suis Rachel !

— Rachel ! Arrête de l'embêter ! Elle dort.

C'était Debbie.

Rachel était une mini-Stuart avec un tas de taches de rousseur, des cheveux en bataille et un sourire immense. Elle sentait les céréales et… un bain n'aurait pas été superflu ! Debbie était occupée à allumer le Village de Noël de Flobie, une tasse de café à la main. Stuart a surgi de la cuisine.

Je déteste découvrir que des gens se sont activés autour de moi pendant mon sommeil. Malheureusement, ça m'arrive souvent – je dors comme une masse. Une fois, même, une alarme incendie n'a pas réussi à me réveiller. Elle a sonné pendant trois heures. Dans ma propre chambre.

— Nous ouvrirons les cadeaux plus tard, a annoncé Debbie. Ce matin, nous allons papoter autour d'un bon petit déjeuner !

J'ai cru que le visage de Rachel allait se fendre en deux, comme un fruit trop mûr. Stuart a considéré sa mère d'un air dubitatif : il n'était pas persuadé que cette idée, même si elle partait d'une bonne intention, était judicieuse.

— À l'exception de Rachel, s'est-elle empressée d'ajouter.

C'est incroyable à quelle vitesse l'humeur des enfants change. Rachel est passée du désespoir complet au bonheur le plus parfait en moins de temps qu'il n'en faut pour le dire.

— Non, suis-je intervenue, ouvrez aussi les vôtres.

Debbie a secoué la tête d'un mouvement ferme en me souriant.

— Stuart et moi pouvons attendre. Pourquoi ne vas-tu pas te préparer pour le petit déjeuner ?

J'ai filé dans la salle de bains, tête baissée, pour essayer de réparer les outrages de la nuit. On aurait dit que mes cheveux rêvaient de me faire embrasser une carrière de clown, quant à ma peau, elle était sèche et râpeuse. Je me suis débattue avec l'eau froide et la savonnette, le résultat n'était pas brillant.

— Veux-tu appeler tes parents ? a proposé Debbie quand je suis ressortie. Pour leur souhaiter un joyeux Noël ?

Sans réfléchir, je me suis tournée vers Stuart, en quête de soutien.

— Ça risque d'être compliqué, a-t-il dit. Ils font partie des « Cinq de Flobie ».

Merci pour le coup de pouce, Stuart... Heureusement, Debbie n'a pas paru contrariée par cette nouvelle, au contraire, même. Une lueur s'est allumée dans son œil, comme si elle était face à une star.

— Tes parents ont été pris dans l'émeute ? Mais pourquoi ne me l'as-tu pas dit ? J'adore le Village de Noël de Flobie. C'était complètement idiot de les mettre en prison. Les « Cinq de Flobie » ! Oh, je suis sûre qu'ils les laisseront parler à leur fille ! Le jour de Noël ! Ce n'est pas comme s'ils avaient tué quelqu'un.

— Je ne sais même pas dans quelle prison ils sont, ai-je répliqué, me sentant aussitôt coupable.

Mes parents se morfondaient dans une cellule, et j'ignorais où.

— Eh bien, ça doit être facile de l'apprendre. Stuart va chercher l'information sur le Net.

Il n'avait pas attendu sa mère pour se lever.

— Je m'en occupe.

— Stuart est un vrai magicien avec ces choses-là, a-t-elle déclaré.

— Quelles choses ?

— Il peut trouver n'importe quoi en ligne.

Debbie était de ces parents qui n'avaient pas encore compris qu'Internet ne relevait pas de la magie, et que n'importe qui pouvait trouver n'importe quoi en ligne. Je ne le lui ai pas fait remarquer, cependant.

Stuart est revenu avec les coordonnées de la prison, et Debbie a composé le numéro.

— Ils te laisseront parler à tes parents, crois-moi, a-t-elle dit en posant sa main sur le combiné. Ils vont découvrir combien je suis tê... Allô ?

Ils lui ont donné du fil à retordre, mais elle a fini par obtenir gain de cause. Sam aurait été impressionné. Elle m'a tendu le téléphone avant de sortir de la cuisine, tout sourire. Stuart a emmené Rachel, qui se débattait dans ses bras.

— Jubilé ? a hasardé maman. Trésor ! Tout va bien ? Tu es en Floride ? Comment vont mamie et papy ? Oh, trésor…

— Je ne suis pas en Floride. Le train n'est pas arrivé là-bas. Je suis à Gracetown.

— Gracetown ? Mais c'est à côté. Oh, Jubilé… où es-tu ? Est-ce que tu vas bien ? Tu es toujours dans le train ?

Je n'étais pas d'humeur à lui narrer les vingt-quatre dernières heures par le menu, j'ai donc opté pour la version simplifiée.

— Le train a été bloqué par la neige, on a dû descendre. J'ai rencontré des gens, ils m'ont accueillie chez eux.

— Des gens ? Quels gens ?

Sa voix était montée très haut dans les aigus : elle m'imaginait déjà dans un repaire de dealers et de pervers.

— Des gens très gentils, maman. Une mère et ses deux enfants. Ils ont un Village de Noël de Flobie. Il n'est pas aussi grand que le nôtre, mais nous avons des pièces en commun. Ils ont le Magasin en boules de gomme, avec l'étal complet. Et la Fabrique de pain d'épice. Ils ont même une Taverne des Gais Lurons de la première génération.

— Ah, a-t-elle dit, quelque peu soulagée.

Mes parents sont persuadés que les collectionneurs de pièces Flobie sont dotés d'une morale irréprochable.

Dans leur esprit, les fous dangereux ne prennent pas le temps d'installer avec amour tous les minuscules bonshommes en pain d'épice dans la vitrine de la fabrique. Et pourtant, beaucoup y verraient justement le signe d'un vrai déséquilibre. C'est évidemment une question de point de vue. En tout cas, je pouvais me féliciter d'avoir présenté Stuart comme l'un des « deux enfants » de Debbie, plutôt que comme l'inconnu coiffé d'un sac en plastique que j'avais rencontré dans un restaurant.

— Tu es encore chez eux ? a-t-elle demandé. Et ton train ?

— Je crois qu'il est toujours bloqué. On a été immobilisés par une congère l'autre nuit, et les conducteurs ont été contraints d'économiser la lumière et le chauffage. C'est pour ça qu'on a dû descendre.

Encore une fois, j'avais résumé la situation avec brio : « on a dû descendre » et non « j'ai traversé, seule, une autoroute à six voies dans la tempête ». Et ce n'était pas vraiment un mensonge pour autant. Jeb, toutes les Amber et les Madison m'avaient suivie, une fois la voie ouverte. À seize ans, il vaut mieux savoir censurer les détails inutiles.

— Et vous…

Comment demander à sa mère si la prison est accueillante ?

— Tout va bien, a-t-elle dit courageusement. Nous sommes… Oh, Jubilé… mon trésor. Je suis désolée pour cet incident. Tellement désolée. Nous n'avions pas l'intention…

Je percevais, à sa voix, qu'elle était sur le point de craquer, et elle risquait de m'entraîner sur la même pente si je ne l'arrêtais pas.

— Je vais bien, maman. Ils s'occupent très bien de moi.

— Est-ce que je peux leur parler ?

Par « leur » elle entendait Debbie, bien sûr. Je lui ai passé le combiné, et elles ont eu une conversation typique de mamans, s'inquiétant pour tous les enfants de la Terre. Debbie a réussi à rassurer ma mère, et j'ai cru comprendre qu'elle n'avait pas l'intention de me laisser repartir avant au moins un jour. Je l'ai entendue rejeter l'idée que mon train puisse redémarrer ou que je puisse atteindre la Floride.

— Ne vous inquiétez pas, nous allons prendre soin d'elle. Elle sera bien nourrie, et elle restera au chaud, nous y veillerons. Elle passera un joyeux Noël, je vous le promets. Et nous vous la renverrons directement.

Ma mère lui a manifesté sa reconnaissance éternelle d'une voix stridente – même moi je l'entendais !

— Ça ne nous dérange pas du tout ! C'est un véritable amour. Et à quoi rimerait l'esprit de Noël, sinon ? Pensez à vous, maintenant. Tous les fans de Flobie sont derrière vous.

Debbie s'est essuyé les yeux en écrivant un numéro sur le bloc-notes fixé par un aimant à la porte du réfrigérateur avant de raccrocher.

— Je devrais appeler pour mon train, ai-je dit. Si ça ne vous dérange pas.

Je n'ai réussi à joindre personne – sans doute parce qu'on était le 25 décembre. Je suis tombée sur un répondeur qui annonçait des « retards importants ». J'ai écouté défiler les différentes options du menu, le regard perdu par la fenêtre. La neige tombait toujours, régulièrement, même si ce n'était plus l'atmosphère apocalyptique de la veille.

Debbie a traîné un moment dans la cuisine avant de sortir. J'ai aussitôt composé le numéro de Noah. Il a décroché à la septième sonnerie.

— Noah ! ai-je lancé à voix basse. C'est moi ! Je suis…

— Salut ! Écoute, nous allions nous mettre à table pour le petit déjeuner.

— J'ai passé une sale soirée.

— Oh, ma pauvre Ju. Écoute, je te rappelle dans un moment, d'accord ? J'ai ton numéro. Joyeux Noël !

Pas de « je t'aime ». Pas de « Noël est nul sans toi ». J'étais bouleversée, mais je ne voulais pas éclater en sanglots parce que mon copain refusait de me parler…

— Bien sûr, ai-je dit en contrôlant les trémolos dans ma voix. À plus tard. Joyeux Noël.

Puis je suis allée me réfugier dans la salle de bains.

9

❄❄❄

Quand on s'enferme trop longtemps dans la salle de bains, on risque d'éveiller les soupçons. Au-delà d'une demi-heure, les gens commencent à se poser des questions, en regardant fixement la porte close. J'avais dépassé la limite. Assise sur le rebord de la douche, je sanglotais dans un essuie-mains décoré de flocons de neige. Je ne sais pas pourquoi, ça m'a rappelé la chanson *Tombe la neige.* « Tombe la neige / Et mon cœur s'habille de noir. » La vie avait un drôle d'humour.

J'avais peur de retourner dans la cuisine, mais, quand je me suis enfin décidée, je l'ai trouvée vide. Une bougie de Noël brûlait sur le dessus de la cuisinière, la chaîne stéréo diffusait des chants de Noël, et du café fumant ainsi qu'un gâteau attendaient sur le comptoir. Debbie est apparue dans l'embrasure de la porte de la buanderie, juste à côté de la cuisinière.

— J'ai envoyé Stuart à côté, emprunter une combinaison de ski pour Rachel, m'a-t-elle informée. La sienne est trop petite, et nos voisins en ont une à sa taille. Il ne devrait pas tarder.

Elle a accompagné ses paroles d'un mouvement de tête entendu : « J'ai bien compris que tu avais besoin d'être seule. »

— Merci, lui ai-je dit en m'asseyant à la table.

— Et j'ai parlé à tes grands-parents. Ta mère m'avait donné leur numéro. Ils étaient inquiets, mais je les ai rassurés. Ne t'en fais pas, Jubilé. Je sais ce que tu ressens… Nous essaierons de rendre ce Noël joyeux, malgré tout.

Ma mère lui avait dit mon véritable prénom. Debbie l'avait prononcé avec précaution, comme si elle voulait que je sache qu'elle en avait pris bonne note, et que ses paroles venaient du fond du cœur.

— Je n'en doute pas, ai-je répondu. Je n'ai jamais passé de mauvais Noël.

Debbie a posé devant moi une tasse de café, un énorme pichet de lait et un sucrier ventru.

— Ça ne doit pas être facile pour toi, a-t-elle poursuivi, mais je crois aux miracles. Je sais que ça fait un peu tarte, mais je le pense vraiment. Et j'ai le sentiment que ta venue ici en est un pour nous.

J'étais en train de verser du lait dans ma tasse et j'ai failli faire déborder mon café. J'avais remarqué, dans la salle de bains, une pancarte qui disait : *Câlins gratuits !* Debbie avait l'air d'être quelqu'un de bien, mais elle avait peut-être tendance à confondre gentillesse et mièvrerie.

— Merci…

— Ce que je veux dire c'est que… je n'ai pas vu Stuart aussi heureux depuis… Je ne devrais sans doute pas t'en parler, mais… De toute façon il l'a sans doute déjà évoqué devant toi. Il le raconte à tout le monde, et vous avez l'air de bien vous entendre…

— Me parler de quoi ?

— Chloé, a-t-elle lancé en écarquillant les yeux. Tu n'es pas au courant ?

— Qui est Chloé ?

Debbie s'est levée pour me couper une épaisse tranche de gâteau avant de me répondre. Et quand je dis épaisse… elle aurait pu rivaliser avec le tome VII de *Harry Potter.* J'aurais pu sans problème assommer un cambrioleur avec un morceau de cette taille. C'était délicieux, néanmoins. Debbie ne lésinait pas sur le beurre et le sucre.

— Chloé, a-t-elle repris en baissant la voix, était la petite amie de Stuart. Ils ont rompu il y a trois mois, et il… Il est tellement gentil… il l'a très mal pris. Elle a été affreuse avec lui. Affreuse. Hier soir, pour la première fois depuis très longtemps, j'ai retrouvé le Stuart d'avant.

— Je… Comment ça ?

— Stuart a bon cœur, a-t-elle poursuivi sans remarquer que je m'étais figée, un morceau de gâteau à quelques centimètres des lèvres. Lorsque leur père, à Rachel et lui, mon ex-mari, nous a quittés, il n'avait que douze ans. Tu aurais dû voir comment il m'a aidée, comment il s'est occupé de sa sœur. C'est un bon garçon.

Je ne savais pas par où commencer. C'était tellement incongru, pour ne pas dire choquant, de discuter avec Debbie de la rupture de Stuart. On prétend qu'une mère est la meilleure amie de son fils. Pas sa meilleure entremetteuse !

Pour ne rien arranger, elle m'a expliqué que j'étais le baume qui apaisait les blessures de Stuart. Son miracle de Noël. Elle allait peut-être me garder pour toujours avec eux, elle me gaverait de gâteaux et m'habillerait avec des sweat-shirts trop grands. Je deviendrais la Mariée de Flobie.

— Tu vis à Richmond, c'est bien ça ? poursuivit-elle. C'est à deux ou trois heures de voiture, non ?

Je songeais sérieusement à me barricader de nouveau dans la salle de bains, quand Rachel a fait irruption dans la cuisine en se laissant glisser sur ses pantoufles. Elle a grimpé sur mes genoux. Elle n'avait toujours pas pris de bain…

— Qu'est-ce qu'il y a ? a-t-elle demandé. Pourquoi tu pleures ?

— Sa famille lui manque, a répondu Debbie. C'est Noël, et elle ne peut pas les retrouver à cause de la neige.

— On va s'occuper de toi, a rétorqué Rachel en me prenant la main.

Elle avait cette voix irrésistible, celle que les enfants prennent généralement pour confier un secret.

— C'est adorable, Rachel ! a lancé Debbie. Pourquoi n'irais-tu pas te laver les dents comme une grande fille, maintenant ? Jubilé, elle, le fait toute seule.

En théorie, seulement. Parce que, en pratique, je n'avais pas emporté de brosse à dents. J'avais réellement préparé mon sac n'importe comment !

J'ai entendu la porte d'entrée s'ouvrir, et, quelques secondes après, Stuart a déboulé dans la cuisine avec la combinaison de ski.

— J'ai dû me farcir deux cents photos. Deux cents. Mme Henderson tenait mordicus à me démontrer que leur cadre photo numérique en contenait deux cents.

Je vous ai déjà dit qu'il y en avait *deux cents* ? Enfin, bon...

Il a posé la combinaison avant de s'excuser pour aller se changer, car la neige avait trempé son jean.

— Ne t'inquiète pas, m'a dit Debbie après son départ. Je vais emmener la petite mistinguette jouer dehors pour que vous puissiez vous détendre un peu. Vous avez été très éprouvés, Stuart et toi. Reste ici, bien au chaud, jusqu'à ce que nous ayons des nouvelles pour ton train. J'ai promis à ta maman que je veillerais sur toi. Alors, reposez-vous, buvez du chocolat chaud, mangez tout ce que vous voulez et pelotonnez-vous sous une couverture.

Sur ce, elle est partie à la recherche de Rachel. Dans d'autres circonstances, j'aurais pensé qu'elle suggérait deux couvertures bien distinctes, pour qu'on s'installe loin l'un de l'autre – idéalement, même, il y aurait un chien de garde entre nous. En tout cas, c'est le genre de précautions que les parents aiment prendre en général. Pourtant, j'avais le sentiment que Debbie aurait été ravie qu'on se pelote en douce. Je la soupçonnais même d'être capable d'éteindre les radiateurs et de cacher toutes les couvertures de la maison.

Debbie m'avait tellement effrayée que j'en ai oublié que j'étais triste.

— Tu as l'air complètement flippée, a dit Stuart en revenant. C'est ma mère ?

J'ai ri d'un rire un peu trop forcé tout en m'étouffant avec un morceau de gâteau, et Stuart m'a considérée avec la même circonspection que lorsque je m'étais ridiculisée à la Waffle House, la veille. Et, comme la veille, il n'a rien dit. Il s'est contenté de se servir une tasse de café en m'observant du coin de l'œil.

— Elle sort avec ma sœur, on va être tranquilles. Qu'est-ce que tu veux faire ?

J'ai enfourné une nouvelle bouchée de gâteau pour éviter de répondre.

10

❄❄❄

Cinq minutes plus tard, nous étions dans le salon, où le minuscule Village de Noël de Flobie clignotait. Nous étions assis sur le canapé, mais, contrairement à ce que Debbie aurait probablement souhaité, pas recroquevillés sous la même couverture. J'avais été jusqu'à replier mes genoux pour créer une barrière protectrice. Les cris étouffés de Rachel nous parvenaient depuis l'étage : sa mère la forçait à enfiler la combinaison.

J'ai examiné Stuart, il était vraiment beau. Pas dans un genre comparable à celui de Noah, lequel n'était pas dénué de défauts. Noah n'avait aucun trait remarquable, mais un ensemble de caractéristiques agréables sur lesquelles tout le monde s'accordait à trouver qu'elles formaient un tout séduisant, mis en valeur par les bons vêtements. Noah n'était pas obsédé par la mode, mais il avait un flair incroyable pour saisir les tendances.

Stuart ne brillait pas par son élégance. Il ne devait s'intéresser que très peu à la question vestimentaire et ne se doutait absolument pas qu'on pouvait porter son jean ou sa chemise différemment. Il a retiré son pull : dessous, il y avait un tee-shirt rouge. Il aurait été trop banal pour Noah, alors qu'il allait bien à Stuart. Le vêtement n'était pas ajusté, mais je voyais bien que Stuart était musclé. Certains types cachent leur jeu…

S'il avait la moindre idée de ce que sa mère tramait, il n'en montrait rien. Il enchaînait les remarques bien senties sur les cadeaux de Rachel, et je souriais de façon peu naturelle en faisant mine de l'écouter.

— Stuart ! l'a appelé Debbie. Tu peux monter ? Rachel est coincée.

— Je reviens tout de suite, m'a-t-il dit.

Il a gravi les marches deux par deux, et je me suis levée pour aller examiner les bâtiments Flobie. Peut-être que si j'évoquais leur valeur devant Debbie, elle arrêterait de me parler de Stuart. Naturellement, mon plan pouvait avoir un effet pervers : Debbie risquait de m'en aimer encore plus.

J'ai entendu les bruits étouffés d'une conférence familiale au premier. Je ne comprenais pas très bien ce qui était arrivé à Rachel, mais la situation avait l'air compliquée.

— Peut-être que si on la retourne… a proposé Stuart.

Pourquoi n'avait-il pas mentionné Chloé ? On n'était pas les meilleurs amis du monde, mais on s'entendait bien, et il s'était senti suffisamment à l'aise pour me cuisiner sur Noah. Pourquoi ne m'avait-il rien dit quand j'avais évoqué sa copine ? Surtout que, à en croire Debbie, il aimait en parler, habituellement…

De toute façon, ce n'étaient pas mes oignons. Si Stuart n'avait pas voulu partager cette désillusion avec moi, c'était son droit le plus strict. J'étais la plus mal placée pour juger quelqu'un sur la conduite étrange de sa mère. Mes parents étaient en prison, et je m'étais retrouvée toute seule dans une tempête à près de minuit un 24 décembre. Si sa mère avait le gène de la marieuse, je ne pouvais pas le reprocher à Stuart.

Lorsqu'ils sont redescendus tous les trois (Stuart portait Rachel, engoncée dans sa combinaison), je me suis détendue. Lui et moi étions victimes du comportement de nos parents. Nous étions des compagnons de galère.

Quand Debbie a entraîné sa fille – qui se déplaçait comme une momie – à l'extérieur, j'ai achevé de retrouver mon calme. J'allais passer un moment agréable et amical avec Stuart. J'appréciais sa compagnie, et je n'avais aucun souci à me faire. Alors que je venais de prendre cette résolution, j'ai remarqué qu'une expression soucieuse assombrissait son visage.

— Est-ce que je peux te poser une question ? m'a-t-il demandé.

— Euh…

Il a croisé ses doigts nerveusement.

— Je ne sais pas comment le dire. J'ai besoin de savoir. Je parlais avec ma mère, et…

Non. Non, non, non, non.

— Tu t'appelles Jubilé ? Pour de vrai ?

Je me suis affalée sur le canapé de soulagement, faisant rebondir Stuart sur son coussin. La conversation que je redoutais tant habituellement… arrivait comme une délivrance. Jubilé jubilait.

— Ah… eh oui. Ta mère a bien compris. Je dois ce prénom à la Maison du Jubilé.

— C'est où ?

— Nulle part. Enfin, si. C'est l'une des pièces du Village de Flobie. Vous ne l'avez pas… Je t'autorise à rire, je sais que c'est ridicule.

— Je porte le prénom de mon père. Comme nous avons aussi le même nom, c'est tout aussi ridicule.

— Vraiment ?

— Au moins, ta maison ne mettra pas les bouts, elle, a-t-il répondu avec désinvolture. Mon vieux n'a jamais été beaucoup dans les parages.

Il évoquait son père sans aucune amertume, comme si son départ était de l'histoire ancienne, que ça n'avait plus d'incidence sur sa vie.

— Je ne connais pas d'autre Stuart, ai-je dit. À part Stuart Little.

— C'est bien le problème. Qui appelle son fils Stuart ?

— Et qui appelle sa fille Jubilé ? Ce n'est même pas un prénom. Ni une chose. Qu'est-ce qu'un jubilé ?

— C'est une fête, non ? Tu es une gigantesque fête ambulante.

— Comme si je ne le savais pas !

— Allez ! a-t-il lancé en se levant pour ramasser un cadeau de Rachel. On fait une partie de Piège à souris ?

— Mais c'est à ta petite sœur.

— Et alors ? Je vais devoir jouer avec elle de toute façon. Autant apprendre. Et c'est un bon moyen de tuer le temps.

— Je ne tue jamais le temps… j'ai toujours une occupation.

— Comme quoi ?

— Comme…

Je n'en avais aucune idée. Simplement, j'étais toujours occupée. Noah n'était pas du genre à traîner. Quand nous avions du temps libre, nous mettions à jour le site du conseil des élèves, par exemple.

— Je comprends, a rétorqué Stuart en soulevant le couvercle de la boîte du jeu, que la vie est trépidante à la grande ville... Laquelle d'ailleurs ?

— Richmond.

— À Richmond, donc. Mais ici, à Gracetown, tuer le temps est un art de vivre. Bien... quelle couleur veux-tu ?

J'ignore ce que Debbie et Rachel ont fichu, mais elles sont restées deux bonnes heures dehors. Pendant ce temps, Stuart et moi avons joué à Piège à souris. Nous avons suivi scrupuleusement les règles à la première partie, mais il y avait un mécanisme très compliqué qui libérait des billes. C'était étonnamment périlleux pour un jeu destiné aux gamins. Du coup, à la deuxième partie, nous avons inventé des règles qui nous convenaient mieux. Stuart était d'une compagnie si agréable que je n'ai pas remarqué (ou presque) qu'il avait fallu beaucoup de temps à Noah pour me rappeler. Lorsque le téléphone a sonné, j'ai sursauté.

C'est Stuart qui a décroché – il était chez lui, après tout –, et il m'a tendu le combiné d'un air bizarre, comme s'il était contrarié.

— Qui était-ce ? m'a demandé Noah.

— Stuart. C'est sa famille qui m'héberge.

— Tu ne m'avais pas dit que tu allais en Floride ?

Il y avait beaucoup de bruit derrière lui, de la musique, des gens qui discutaient. Un Noël comme les autres, somme toute.

— Mon train a été bloqué. Il a percuté une congère. J'ai fini par descendre pour me réfugier dans une Waffle House, et...

— Pourquoi es-tu descendue ?

— À cause des pom-pom girls, ai-je dit en soupirant.

— Les pom-pom girls ?

— Peu importe. C'est comme ça que j'ai rencontré Stuart, et sa famille m'a accueillie. On est tombés dans un ruisseau gelé en route. Je vais bien, mais…

— Oh ! là, là ! ça a l'air sacrément compliqué, ton histoire.

Il pigeait enfin !

— Écoute, a-t-il repris, on s'apprête à aller saluer les voisins. Je te rappelle d'ici une heure, et tu me donneras les détails.

J'ai éloigné le téléphone de mon oreille, tellement j'étais estomaquée.

— Noah, ai-je répondu en rapprochant le combiné, tu as entendu ce que je viens de te dire ?

— Oui. Il faut que tu me racontes. Je n'en ai pas pour longtemps. Une heure, ou deux.

Et il a raccroché. Encore une fois.

— C'était du rapide, a dit Stuart en entrant dans la cuisine et en s'approchant de la cuisinière.

Il a allumé sous la bouilloire.

— Il devait sortir, ai-je rétorqué sans conviction.

— C'est pour ça qu'il a raccroché ? Ça craint.

— Et pourquoi ?

— À sa place je me serais fait du souci. Je suis du genre soucieux.

— Tu ne donnes pas cette impression, ai-je marmonné. Tu m'as plutôt l'air d'un type heureux.

— On peut être heureux et soucieux en même temps. Je t'assure que j'ai un tempérament inquiet.

— Et qu'est-ce qui t'inquiète ?

— Eh bien, prends cette tempête, par exemple. Je m'en fais pour ma voiture. J'ai peur qu'elle soit abîmée.

— C'est vachement inquiétant, en effet.

— Qu'est-ce que tu aurais voulu que je dise ?

— Rien de particulier, ai-je lâché, mais... Je ne sais pas, moi, que cette tempête pourrait être l'indice d'un changement climatique ? Que des gens sont peut-être tombés malades et n'ont pu être transportés à l'hôpital ?

— C'est la réponse qu'aurait donnée Noah ?

J'ai mal accueilli cette référence inopinée à mon copain. Non que Stuart ait tort. C'était effectivement ce que Noah aurait dit. À la réflexion, la remarque de Stuart était effroyablement pertinente, même.

— Tu m'as posé une question, a-t-il repris, et j'y ai répondu en toute sincérité. Est-ce que je peux te dire quelque chose que tu n'as pas envie d'entendre ?

— Non.

— Il va te quitter.

Il avait à peine prononcé ces mots que mon estomac s'est noué.

— Je cherche juste à être serviable, je suis désolé, a-t-il aussitôt poursuivi en voyant ma réaction. Mais il va te quitter.

Stuart avait mis le doigt sur quelque chose de terrible... et le pire, c'est qu'il avait sans doute raison. Noah se défilait comme si j'étais une corvée – sauf que Noah était toujours prêt à se retrousser les manches. Il n'aimait rien tant que ça, même. C'était la première fois qu'il se défilait. Noah le magnifique, le parfait me rejetait. Cette prise de conscience me consumait. Je détestais Stuart de l'avoir provoquée, et j'avais besoin qu'il le sache.

— Tu dis ça à cause de Chloé ?

J'ai obtenu l'effet escompté : il a eu un mouvement de recul et a fait craquer sa mâchoire à une ou deux reprises avant de se reprendre.

— Laisse-moi deviner... Ma mère t'a tout raconté ?

— Elle ne m'a pas tout raconté.

— Ça n'a rien à voir avec Chloé.

— Ah bon ?

Je n'avais aucune idée de ce qui s'était passé entre eux, mais j'avais réussi à le faire sortir de ses gonds. Il s'est levé : il paraissait immense.

— Chloé n'a rien à voir avec ça, a-t-il répété. Tu veux que je t'explique comment je sais ce qui va arriver ?

Pas vraiment. Pas du tout, même. Mais Stuart allait me l'expliquer de toute façon.

— Pour commencer, il t'évite le jour de Noël. Qui réagit comme ça ? Les personnes sur le point de rompre. Pourquoi ? Parce que les grandes occasions les font paniquer. Les fêtes, les anniversaires, les célébrations... Elles se sentent coupables.

— Il est juste très occupé, ai-je dit faiblement.

— Ouais, eh bien, si les parents de ma copine avaient été arrêtés le 24 décembre, si elle avait dû traverser une partie du pays en train malgré la tempête... j'aurais eu en permanence mon téléphone à portée de main. Et j'aurais décroché. À la première sonnerie. Chaque fois. Je l'aurais aussi appelée pour prendre de ses nouvelles.

J'étais réduite au silence. Il avait raison : c'était exactement ce que Noah aurait dû faire.

— Tu viens de lui raconter que tu étais tombée dans un ruisseau gelé et que tu étais coincée dans une ville inconnue, et il a raccroché ? Moi, je ne serais pas resté les bras croisés. J'aurais rappliqué ici, neige ou pas. Ça te paraît peut-être débile, mais c'est comme ça que j'aurais réagi. Et tu veux que je te dise ? S'il n'est pas en train de te plaquer, c'est toi qui devrais prendre les devants et quitter ce gros nul.

Stuart avait parlé très vite, comme s'il était bouleversé. Il y avait quelque chose de grave et de touchant dans sa diatribe. Il était sincère. Il avait dit tout ce que j'aurais voulu que Noah dise. Il devait se sentir mal à l'aise, parce qu'il se balançait d'avant en arrière, silencieusement. Il attendait de découvrir l'étendue des dégâts qu'il avait causés. Il m'a fallu un instant pour retrouver ma voix.

— J'ai besoin d'être seule, ai-je fini par lâcher. Est-ce qu'il y a un endroit… où je peux aller ?

— Ma chambre, a-t-il proposé. La deuxième porte sur la gauche. C'est un peu le bazar, mais…

J'ai quitté la cuisine.

11

❄❄❄

La chambre de Stuart était en chantier, il n'avait pas exagéré. Rien à voir avec celle de Noah. Un seul objet trônait parfaitement droit sur son bureau : un tirage encadré de la photo que j'avais vue dans son portefeuille. Je me suis approchée pour la détailler. Chloé était canon, il n'y avait pas à dire. Elle avait de longs cheveux châtain foncé, des cils avec lesquels on aurait pu passer le balai, un immense sourire éclatant, un teint naturellement hâlé, ce qu'il faut de taches de rousseur. Elle était jolie de la racine des cheveux à la pointe des pieds.

Je me suis assise sur le lit défait pour me concentrer, un léger bourdonnement résonnait sous mon crâne. Le son du piano montait depuis le salon. Stuart interprétait des mélodies de Noël. Il en émanait une vraie sensibilité, son jeu n'avait rien de mécanique. Il aurait pu être embauché dans un restaurant ou un bar d'hôtel. Sans doute dans des endroits bien plus chics d'ailleurs, mais c'étaient les seuls qui me venaient à l'esprit. Dehors, sur une branche, deux petits oiseaux recroquevillés l'un contre l'autre chassaient la neige de leur plumage.

Il y avait un téléphone posé sur la moquette. Je l'ai décroché et j'ai composé le numéro. Noah a répondu d'un ton légèrement excédé :

— Salut ! Qu'est-ce qui se passe ? On s'apprête à partir, et…

— Au cours des dernières vingt-quatre heures, l'ai-je interrompu, mes parents ont été arrêtés, j'ai été contrainte de prendre un train qui a été immobilisé par la tempête, j'ai marché pendant plusieurs kilomètres dans une neige épaisse avec un sac en plastique sur la tête et je suis tombée dans un ruisseau gelé. En conséquence, je suis coincée dans une ville inconnue chez des inconnus. Quelle est ton excuse exactement pour ne pas pouvoir me parler ? Que c'est le jour de Noël ?

Ça lui a cloué le bec. Ce qui n'était pas précisément mon objectif, même si j'étais ravie de constater qu'il était capable d'éprouver de la honte.

— Est-ce que tu veux toujours qu'on sorte ensemble ? lui ai-je demandé. Sois honnête avec moi, Noah.

Il est resté silencieux un bon moment. Trop longtemps pour que la réponse soit : « Bien sûr, tu es l'amour de ma vie. »

— Ju, a-t-il fini par chuchoter. On ne devrait pas discuter de ça maintenant.

— Pourquoi ?

— C'est Noël.

— Est-ce que ce n'est pas une raison supplémentaire ?

— Tu sais bien comment c'est ici.

— Eh bien, lui ai-je rétorqué d'une voix où pointait la colère, tu vas bien être obligé de m'écouter, parce que je romps avec toi.

J'avais du mal à croire que ces mots étaient sortis de ma bouche. Je ne savais même pas où je les avais trouvés, pas à l'endroit où j'allais les chercher habituellement… Il y a eu un long silence.

— D'accord, a-t-il répondu.

Impossible de décrypter le ton de sa voix. Il trahissait peut-être de la tristesse, ou du soulagement. Il ne m'a pas suppliée de revenir sur ma décision, il n'a pas pleuré, il n'a tout simplement rien fait.

— Et alors ? ai-je demandé.

— Et alors, quoi ?

— Tu ne comptes même pas dire quelque chose ?

— En réalité, je le sens depuis un moment. J'y pensais, moi aussi. Si c'est ce que tu veux, c'est sans doute pour le mieux, et…

— Joyeux Noël, ai-je conclu avant de raccrocher.

Ma main tremblait. Mon corps tout entier, même. Je me suis rassise sur le lit de Stuart et j'ai serré mes bras autour de mes épaules. En bas la musique s'est tue, et une quiétude assourdissante a empli la maison.

Stuart a poussé la porte de sa chambre doucement.

— Je viens juste m'assurer que ça va…

— Je l'ai fait. J'ai décroché le téléphone et je l'ai fait.

Il s'est assis à côté de moi. Il n'a pas passé un bras autour de mes épaules, il a même laissé un espace entre nous deux.

— Il n'a pas eu l'air surpris, ai-je repris.

— Les abrutis ne le sont jamais. Qu'est-ce qu'il a dit ?

— Qu'il le sentait depuis un moment, que c'était sans doute pour le mieux.

Sans que je sache pourquoi, ça m'a donné le hoquet. On s'est tus. J'avais la tête qui tournait. Stuart a fini par briser le silence :

— Chloé était comme Noah. Elle était vraiment… parfaite. Belle. Brillante. Elle chantait dans une chorale, elle était bénévole, et elle… ça va te plaire… elle était pom-pom girl.

— Tu avais tiré le gros lot, ai-je rétorqué amèrement.

— Je n'ai jamais compris pourquoi elle sortait avec moi. J'étais un mec quelconque, elle était *Chloé Newland.* On est restés ensemble quatorze mois. On était heureux, je crois. En tout cas, moi, je l'étais. Le hic, c'est qu'elle était toujours débordée, trop occupée pour passer du temps avec moi au lycée ou à la maison, pour m'appeler ou m'envoyer un mail. C'était toujours moi qui lui rendais visite. Qui l'appelais. Et qui lui écrivais.

La situation qu'il décrivait m'était douloureusement familière.

— Un soir, a-t-il poursuivi, nous étions censés réviser ensemble, elle n'est pas venue. J'ai pris la voiture jusque chez elle, mais sa mère m'a appris qu'elle n'était pas là. J'ai commencé à m'inquiéter, parce que, en temps normal, elle me prévenait quand elle annulait, elle m'envoyait au moins un texto. Je suis parti à la recherche de sa voiture… Gracetown n'est pas une grande ville. Elle était garée devant le Starbucks, ce qui était assez logique. On y va souvent pour bosser parce que… la société ne nous laisse pas vraiment le choix, si ? C'est Starbucks ou la mort, parfois.

Il se tordait les mains nerveusement.

— Je me suis imaginé que c'était ma faute, que nous avions rendez-vous là depuis le début et que j'avais simplement oublié. Chloé n'aimait pas venir à la maison. Ma mère la faisait un peu flipper... Tu arrives à y croire ?

Il m'a regardée, comme s'il s'était attendu à un éclat de rire. J'ai réussi à lui adresser un petit sourire.

— J'étais soulagé d'avoir retrouvé sa voiture, l'inquiétude était montée pendant que je la cherchais. Je me suis senti bête. Bien sûr qu'elle m'attendait au Starbucks. Je suis entré, mais elle n'était à aucune table. Une de mes amies, Addie, travaille là-bas. Je lui ai demandé si elle avait vu Chloé.

Il s'est frotté le crâne, et ses cheveux se sont dressés sur sa tête. J'ai résisté à l'envie de les aplatir. Ça lui allait plutôt bien en plus. Quelque part, cette coiffure m'aidait à me sentir mieux, à apaiser la brûlure dans ma poitrine.

— Addie... elle semblait si triste... Addie m'a dit : « Je crois qu'elle est aux toilettes. » Je n'arrivais pas à comprendre pourquoi elle prenait un air aussi tragique. J'ai commandé à boire, pour Chloé et pour moi, et je me suis assis pour l'attendre. Je n'avais ni ordinateur ni bouquin, j'ai donc contemplé la fresque sur le mur extérieur des W-C. Je m'en suis voulu de m'être mis dans un tel état, de l'avoir fait attendre... Et puis j'ai réalisé qu'elle passait beaucoup, beaucoup de temps aux toilettes et qu'Addie me regardait toujours d'un air abattu. Elle a fini par aller frapper à la porte, et Chloé est sortie. Avec Todd le Puma.

— Todd le *Puma* ?

— Ce n'est pas un surnom. C'est vraiment le Puma. La mascotte du lycée. Il porte un costume pour les rencontres sportives. L'espace d'une minute, mon esprit s'est débattu avec les différents morceaux du puzzle... J'ai essayé d'imaginer ce que Chloé et Todd le Puma pouvaient faire dans les toilettes du Starbucks. Tout le monde était apparemment au courant, ça ne devait pas être si grave. Pourtant, en étudiant l'expression d'Addie et celle de Chloé... j'ai évité Todd... j'ai enfin compris. J'ignore toujours s'ils se sont réfugiés dans les toilettes parce qu'ils m'avaient vu arriver ou s'ils y étaient depuis un moment. Ce détail n'avait pas d'importance de toute façon.

J'avais oublié mon coup de fil. J'étais au Starbucks avec Stuart, et je voyais une pom-pom girl que je ne connaissais pas sortir des W-C avec Todd le Puma. Dans mon imagination, il portait son costume, ce qui n'était probablement pas le cas dans la réalité.

— Qu'as-tu fait ? ai-je demandé.

— Rien.

— Rien ?

— Rien. Je suis resté planté là en pensant que j'allais vomir. Chloé s'est mise en colère contre moi.

— Comment ça ? me suis-je énervée.

— Je crois qu'elle a flippé d'avoir été prise sur le fait. C'était sa façon de réagir. Elle m'a accusé de l'espionner. Elle m'a reproché d'être possessif, de lui mettre la pression. Elle parlait d'un point de vue émotionnel, j'imagine, mais ça donnait une tout autre impression : pour ne rien arranger, elle me faisait passer pour un obsédé sexuel devant les clients du Starbucks, autrement dit devant la ville tout entière, vu que rien ne reste secret ici. J'aurais voulu répliquer : « Tu te tapes le Puma dans les toilettes du Starbucks, ce n'est pas moi, le méchant de l'histoire. » Seulement, j'étais littéralement incapable de parler. J'ai dû donner le sentiment d'accepter ses remontrances, d'admettre que j'étais possessif, pervers, obsédé… Que je n'étais pas le type amoureux d'elle depuis plus d'un an, prêt à décrocher la lune pour elle…

Stuart n'avait pas dû raconter cette histoire depuis un moment. Il avait perdu l'habitude. Son visage restait presque impassible : toutes ses émotions passaient par ses mains. Il ne les tordait plus, mais elles tremblaient légèrement.

— Addie a fini par l'emmener dehors pour la calmer. Et la maison m'a offert un cappuccino, je n'avais pas tout perdu ! Je suis devenu une célébrité en ville : le mec largué en public par sa copine infidèle. Enfin bref… je te raconte tout ça pour une raison. Ma raison c'est que ce type…

Il a pointé un index accusateur sur le téléphone.

— … ce type est un salaud. Même si tu ne le vois pas encore.

Des souvenirs de l'année écoulée défilaient devant mes yeux à toute vitesse. Pour la première fois, je les voyais d'un autre point de vue. Je tenais la main de Noah, qui marchait un pas devant : il me traînait dans le couloir en adressant la parole à tout le monde sauf à moi. Nous étions assis au premier rang lors des matchs de basket, quand bien même il savait que depuis que j'avais reçu un ballon en pleine poire j'étais terrorisée. Et j'assistais, figée par la peur, à une rencontre sportive qui ne m'intéressait même pas. Oui, grâce à lui, je déjeunais avec les meilleurs élèves de terminale, mais les conversations m'ennuyaient. Ils répétaient qu'ils étaient débordés et ne parlaient que de leurs dossiers pour la fac. De leurs rendez-vous avec des conseillers d'orientation. De leurs emplois du temps de ministres. De leurs lettres de recommandation.

C'était dingue… Depuis un an, je m'ennuyais. Depuis des lustres, je n'avais pas parlé de moi. Stuart voulait que j'en parle, lui, il s'intéressait à moi. C'était nouveau, un peu embarrassant, mais somme toute formidable. Mes yeux se sont remplis de larmes.

Stuart a légèrement écarté les bras, comme pour m'inviter à m'y réfugier. Sans nous en rendre compte, nous nous étions rapprochés. Quelque chose était sur le point d'exploser. J'étais prête à éclater en sanglots, et ça m'a mise en colère. Noah ne méritait pas mes larmes.

À la place, j'ai embrassé Stuart. À pleine bouche. Je l'ai fait basculer sur le lit. Il m'a rendu mon baiser. C'était bien, ni trop sec ni trop humide. Un peu frénétique peut-être, parce que aucun d'entre nous ne s'y était préparé et que tout se précipitait.

Il nous a fallu environ une minute pour reprendre nos esprits et trouver notre rythme. J'avais la sensation de flotter quand un énorme bruit a résonné dans l'entrée. Debbie et Rachel avaient choisi ce moment pour revenir de leur course de traîneau dans les rues de Gracetown. Elles étaient particulièrement bruyantes – le mauvais temps a cet effet-là sur les gens, ce qui me surprend toujours…

— Stuart ! Jubilé ! J'ai des gâteaux ! a hurlé Debbie.

Aucun d'entre nous n'a bougé. J'étais toujours allongée sur Stuart, entravant ses mouvements, quand je l'ai entendue monter les escaliers. Arrivée à mi-parcours, elle a dû apercevoir la lumière dans la chambre.

N'importe quelle mère aurait lancé : « Vous avez intérêt à sortir immédiatement ou je lâche les fauves ! », mais Debbie n'était pas n'importe quelle mère. Elle a rebroussé chemin en gloussant.

— Chut ! Rachel, viens avec maman ! Stuart est occupé !

L'intrusion soudaine de Debbie a dissipé la magie du moment. Stuart a levé les yeux au ciel. Je l'ai libéré, et il a bondi sur ses pieds.

— Je ferais mieux de descendre. Tu as besoin de quelque chose, ou…

— Je vais très bien ! ai-je répliqué avec un enthousiasme excessif.

Stuart n'était plus dupe de mes manœuvres de diversion. Avec son tact habituel, il a quitté la chambre sans un mot.

12

❄❄❄

Vous vous demandez combien de temps il m'a fallu pour quitter mon copain « parfait » et sortir avec un autre mec ? Alors... attendez, je compte... vingt-trois minutes. (Mon regard était tombé, par hasard, sur le réveil de Stuart au moment de décrocher le téléphone – je n'avais pas consulté ma montre !)

Même si c'était tentant, je ne pouvais pas me terrer au premier étage éternellement. Tôt ou tard, il faudrait que je descende affronter le monde. Je me suis assise dans l'embrasure de la porte et j'ai tendu l'oreille. J'entendais surtout Rachel, qui malmenait ses jouets. Soudain, quelqu'un a ouvert et refermé la porte d'entrée. C'était l'occasion idéale. J'ai descendu les escaliers sur la pointe des pieds. Dans le salon, Rachel s'amusait avec le Piège à souris. Elle m'a souri de toutes ses dents.

— Tu jouais avec Stuart ? m'a-t-elle demandé.

La question n'était pas innocente. J'étais une fille dégoûtante, même cette fillette de cinq ans l'avait perçu.

— Oui, ai-je répondu en essayant de sauver ce qui me restait de dignité. On jouait à Piège à souris. Tu t'es bien amusée dehors ?

— Maman dit que Stuart t'aime bien. Je peux m'enfoncer une bille dans le nez. Tu veux voir ?

— Non, je ne crois pas…

Rachel n'en a fait qu'à sa tête. Elle s'est fourré la bille dans la narine avant de la ressortir et de la brandir sous mes yeux.

— Tu vois ?

C'était fascinant…

— Jubilé ? Est-ce que c'est toi ?

Debbie est sortie de la cuisine. Elle avait les joues rouges, le souffle court et les cheveux trempés.

— Stuart aide Mme Addler, la voisine d'en face, à déblayer son allée. Il l'a vue peiner… Elle a un œil de verre et le dos fragile, vois-tu. Vous avez passé un… bon après-midi ?

— Oui, ai-je répondu froidement. On a joué à un jeu de société.

— C'est ce qu'on dit de nos jours ? m'a-t-elle demandé avec un sourire terrifiant. Je dois donner son bain à Rachel. Fais-toi un chocolat chaud ou autre chose !

Elle s'est arrêtée juste avant d'ajouter : « … future femme de mon fils adoré. »

— Viens, Rachel, on peut monter maintenant.

Sur cette nouvelle indélicatesse, elle m'a laissée seule avec ma mortification. Je me suis approchée de la fenêtre du salon. Stuart prêtait en effet main-forte à sa voisine. Ce qui était le meilleur moyen de me fuir, bien sûr. J'aurais fait la même chose. Il était parfaitement raisonnable de déduire que mon état irait de mal en pis. Mon comportement serait de plus en plus irrationnel. D'ailleurs, mes parents n'avaient-ils pas atterri en prison ? Mieux valait pelleter quelques tonnes de neige pour une voisine borgne en priant pour que je disparaisse.

Et c'était exactement ce que j'allais faire. J'allais quitter cette maison et sortir de la vie de ses habitants tant que j'avais encore un semblant d'amour-propre. Je retournerais au train, qui ne tarderait probablement pas à quitter la ville de toute façon.

Une fois la décision prise, j'ai agi très vite. Je me suis précipitée dans la cuisine. J'ai récupéré mon téléphone sur le comptoir, et je l'ai allumé. Je ne m'attendais pas à ce qu'il marche, pourtant le destin semblait enfin prêt à montrer de la clémence. L'écran était décentré et les mots brouillés, mais il y avait encore un peu de vie dans l'appareil.

Mes vêtements, mon manteau, mes bottines et mon sac étaient dans la buanderie attenante à la cuisine. Ils étaient plus ou moins secs. Je les ai enfilés à la hâte et j'ai laissé le pantalon de jogging et le sweat-shirt sur le lave-linge. Il y avait un tas de sacs en plastique dans un coin, j'en ai pris une dizaine. Je culpabilisais à l'idée de me servir sans demander l'autorisation, mais les sacs en plastique c'est un peu comme les mouchoirs en papier, ça ne compte pas. Avant de partir, j'ai attrapé sur le comptoir de la cuisine un de ces autocollants que les gens font parfois faire avec leur adresse. Je leur enverrais un mot quand je serais chez moi. Je m'étais peut-être conduite comme une cinglée, mais j'étais une cinglée avec des manières.

Je devais sortir par-derrière, pour éviter que Stuart me voie. La neige s'était accumulée contre la porte de la cuisine, sur au moins cinquante centimètres – et elle avait durci depuis la veille. La confusion et la panique, qui, je l'ai déjà expliqué, sont toujours prêtes à se manifester, me donnaient une force surhumaine. J'ai projeté tout mon corps contre le battant, qui a vacillé mais résisté. Je craignais de le casser, ce qui aurait donné un tout autre éclairage sur mon départ. Je n'imaginais que trop bien la scène : Stuart et Debbie découvrant la porte défoncée, dans la neige. « La suspecte a débarqué chez les victimes, profité du garçon, volé des sacs en plastique et arraché la porte au moment de prendre la fuite, dirait la police dans son avis de recherche. Elle compte probablement délivrer ses parents, maintenant. »

J'ai réussi à entrouvrir suffisamment la porte pour me glisser dehors, même si, au passage, j'ai déchiré les sacs et me suis écorché le bras. J'ai encore perdu deux ou trois minutes à pousser la porte qui résistait pour la refermer. J'ai ensuite rencontré un autre problème : je ne pouvais pas prendre le chemin par lequel nous étions arrivés la veille parce que je n'avais aucune envie d'un autre bain glacé. De toute façon, je n'aurais pas réussi à le retrouver. Nos traces avaient disparu. J'étais sur une légère pente, face à des troncs nus et à l'arrière d'une dizaine de maisons qui se ressemblaient toutes. J'avais une seule certitude : le ruisseau se trouvait en contrebas, probablement quelque part entre ces arbres. Le plus sage était de rester près de ces habitations, quitte à traverser discrètement les jardins de certaines d'entre elles. Je finirais bien par tomber sur une route et, de là, je n'aurais aucun mal à rejoindre l'autoroute, la Waffle House et mon train.

Je vous invite à vous reporter à ma remarque, plus haut, concernant ma tendance à tirer des conclusions hâtives.

Le tracé du quartier de Stuart ne suivait pas la logique implacable de celui d'un Village de Flobie. Les maisons avaient été édifiées çà et là, sans aucune cohérence – elles n'étaient pas rangées régulièrement le long d'une ligne droite –, comme si l'architecte s'était dit : « Suivons ce chat et, à chaque endroit où il posera son arrière-train, construisons une baraque. » J'étais totalement désorientée. La neige n'avait pas été dégagée, et les lampadaires étaient éteints. Le ciel n'était plus de ce rose surréaliste, comme la veille, il était blanc. Je n'avais jamais vu un horizon aussi bouché.

Ma longue errance me laissait tout le loisir de réfléchir aux derniers rebondissements de ma vie. Comment allais-je expliquer à mes parents que j'avais rompu avec Noah ? Ils l'adoraient. Pas autant que moi, évidemment, mais ils étaient fiers de me voir au bras d'un type aussi remarquable. En même temps, au risque de me répéter, ils étaient en prison à cause de l'Hôtel des Elfes… Ils avaient peut-être besoin de revoir leurs priorités. De surcroît, si je leur expliquais que j'étais plus heureuse sans lui, ils finiraient par l'accepter. Mes amis, les autres élèves… ça m'était égal. Je ne sortais pas avec Noah pour me faire bien voir, même si ma cote de popularité en avait effectivement bénéficié.

Et puis il y avait Stuart, bien sûr. Stuart, qui m'avait vue passer par tout un spectre d'émotions. Jubilé s'inquiète pour ses parents en prison, Jubilé déprime dans une ville inconnue, Jubilé se révèle hystérique, Jubilé se montre agressive avec un inconnu serviable, Jubilé largue son copain, Jubilé saute sur son sauveur sans prévenir…

J'avais vraiment tout fichu en l'air. Tout. Le regret et l'humiliation étaient plus durs à supporter que le froid. Il m'a fallu plusieurs mètres pour comprendre que ce n'était pas Noah que je regrettais… c'était Stuart. Stuart, qui était venu à ma rescousse. Stuart, qui appréciait ma compagnie. Stuart, qui avait su me parler franchement et qui m'avait encouragée à ne pas me rabaisser.

Stuart, qui serait cependant soulagé de découvrir que j'étais partie, pour toutes les raisons évoquées ci-dessus. Si les journaux télévisés ne s'étendaient pas sur la mésaventure de mes parents, il ne pourrait pas retrouver ma trace. De toute façon, il ne chercherait pas à le faire. On ne se reverrait pas…

À moins que je n'atterrisse devant sa porte. Ce qui, après une heure d'errance, constituait un réel danger. Je repassais sans cesse devant les mêmes maisons, et je débouchais toujours dans des culs-de-sac. De temps à autre je m'arrêtais pour demander mon chemin à des gens occupés à déneiger leur allée, mais ils s'inquiétaient tous de me voir entreprendre ce trajet seule et refusaient de me répondre. La moitié d'entre eux, au moins, m'avaient proposé d'entrer pour me réchauffer. J'avais été tentée, mais je ne voulais pas provoquer un nouveau drame. J'étais entrée dans une maison de Gracetown, et les conséquences avaient été catastrophiques.

Je dépassais un groupe de gamines, qui s'amusaient dans la neige, quand l'abattement m'a gagnée. Les larmes n'étaient pas loin. Je ne sentais plus mes pieds, et mes genoux étaient raides. C'est à ce moment-là que la voix de Stuart s'est élevée dans mon dos.

— Attends !

Je me suis arrêtée. Prendre la fuite est pathétique, être rattrapé est encore pire. Je suis restée plantée là, sans me retourner immédiatement. Je voulais me composer une expression naturelle, genre : « Toi, ici ? C'est dingue ! La vie est drôle, non ? », mais je sentais bien que les muscles de ma mâchoire étaient crispés et que mon sourire devait être figé.

— Désolée, ai-je lâché au bout d'un moment. Je pensais retourner au train, et…

— Ouais, m'a-t-il interrompue. C'est ce que je me suis dit.

Il ne me regardait même pas. Il a tiré un bonnet de sa poche. Il devait être à Rachel, il était surmonté d'un énorme pompon.

— Tu pourrais en avoir besoin, a-t-il poursuivi en me le tendant. Il est à toi, Rachel te le donne.

Je l'ai enfilé – Stuart était bien capable d'attendre jusqu'à la fonte des neiges. Le bonnet était un peu serré, mais il m'a procuré une sensation de chaleur très agréable.

— J'ai suivi tes traces, a-t-il dit en réponse à une question muette. C'est commode avec la neige.

Il avait remonté ma piste, comme un chasseur.

— Je suis désolée de t'avoir causé autant d'ennuis.

— Je n'ai pas eu besoin d'aller très loin, en réalité. Tu n'es qu'à trois rues de chez nous. Tu tournes en rond.

Pour ajouter à mon humiliation, je découvrais que j'étais une proie facile.

— Je n'en reviens pas que tu aies remis tes vêtements… a-t-il poursuivi. Laisse-moi t'accompagner, tu n'y arriveras jamais sinon.

— Mais si, ne t'inquiète pas… On vient de m'indiquer le chemin.

— Tu n'es pas obligée de partir, tu sais.

J'aurais voulu ajouter quelque chose, mais j'ignorais quoi. Il a cru que je souhaitais rester seule, il a donc hoché la tête.

— Sois prudente, d'accord ? Et… est-ce que tu pourrais me prévenir à ton arrivée ? Appelle ou…

Il a été interrompu par la sonnerie de mon téléphone. Elle était suraiguë – le bain glacial n'avait décidément pas fait de bien à l'appareil –, une sorte de glouglou surpris, légèrement accusateur.

C'était Noah. Sur mon écran déglingué, les lettres « Mobg » s'affichaient, mais je savais bien qui elles désignaient. Je n'ai pas répondu. La sonnerie s'est arrêtée, puis elle a repris. Le téléphone vibrait dans ma main, avec insistance.

— Je suis désolé d'avoir agi comme un idiot, s'est époumoné Stuart pour couvrir le bruit. Et tu te fiches probablement de mon avis, mais je crois que tu ne devrais pas décrocher.

— Pourquoi dis-tu que tu as agi comme un idiot ?

Stuart s'est tu. La sonnerie aussi, avant de recommencer. Mobg avait vraiment envie de me parler.

— J'ai promis à Chloé de l'attendre, a-t-il fini par lâcher. Je lui ai promis d'attendre le temps qu'il faudrait. Elle m'a répondu que c'était inutile, mais j'ai quand même attendu. Pendant des mois, je me suis refusé à regarder d'autres filles. Je me suis même interdit de regarder les pom-pom girls. Enfin, tu vois ce que je veux dire.

Je voyais.

— Mais tu m'as tapé dans l'œil, a-t-il poursuivi, et ça m'a rendu dingue. Pas seulement de t'avoir remarquée, mais de constater que tu sortais avec un type soi-disant parfait qui, à l'évidence, ne te méritait pas. Ça me rappelait cruellement mon histoire… Il a apparemment compris son erreur, cela dit, a-t-il ajouté avec un signe de tête en direction du téléphone, qui sonnait toujours. Je suis content que tu sois venue. Ne te laisse pas faire, d'accord ? Ne te laisse pas faire par lui... Il ne te mérite pas. Il n'a pas le droit de te traiter comme ça.

La sonnerie résonnait, encore et encore. J'ai regardé l'écran une dernière fois, puis Stuart, et j'ai armé mon bras pour jeter le téléphone aussi loin que possible (c'est-à-dire pas très loin, malheureusement). Il a disparu dans la neige. Les gamines, qui étaient totalement fascinées par notre échange, se sont ruées sur lui.

— Apparemment, je l'ai perdu, ai-je dit. Dommage.

Pour la première fois depuis le début de la conversation, Stuart m'a regardée au fond des yeux. Les muscles de mon visage s'étaient détendus. Stuart s'est avancé, m'a pris le menton et m'a embrassée. Oui, il m'a embrassée. Je ne sentais plus le froid, je n'entendais presque pas les gamines qui s'étaient approchées et criaient :

— Ouhouhouhouhouh...

— Une dernière chose, ai-je commencé quand nos lèvres se sont disjointes (le vertige subsistait malgré tout). Peut-être... il vaudrait mieux que tu ne parles pas en détail de tout ça à ta mère. Je crois qu'elle se fait déjà un film.

— Quoi ? a-t-il demandé avec une innocence feinte en plaçant un bras autour de mes épaules et en m'entraînant vers sa maison. Tes parents ne se mettent pas dans tous leurs états quand ils apprennent que tu sors avec quelqu'un ? C'est bizarre de se passionner pour la vie amoureuse de ses enfants, à Richmond ? Il faut dire que tes parents ne doivent pas en voir grand-chose depuis leur prison.

— La ferme, Stuart Weintraub. Si je t'étale dans la neige, ces gamines ne feront qu'une bouchée de toi.

Une camionnette nous a dépassés au ralenti. Par la vitre baissée, Monsieur Alu nous a adressé un signe de la main un peu raide. Il se dirigeait vers le centre-ville. Nous nous sommes écartés de la route – les fillettes, Stuart et moi. Stuart a ouvert son manteau pour que je puisse me blottir sous son bras, puis nous nous sommes remis en route.

— Tu veux rentrer par le chemin le plus long ou par le raccourci ? Tu dois être frigorifiée.

— Le chemin le plus long, ai-je répondu. Sans hésitation.

un miracle de noël a pompons

John Green

À Ilene Coopern,
qui m'a guidé à travers bien des tempêtes.

1

❄❄❄

Nous en étions, JP, le Duc et moi, au quatrième film de notre marathon James Bond lorsque ma mère a téléphoné pour la sixième fois en cinq heures. Je n'ai même pas eu besoin de regarder le numéro. Je savais que c'était elle. Le Duc a levé les yeux au ciel en appuyant sur la touche *Pause*.

— Elle a peur que tu sortes ? Il y a une tempête de neige ! a-t-elle lancé.

J'ai haussé les épaules et décroché.

— C'est la poisse… a dit ma mère.

Derrière elle, une voix monotone répétait que l'essentiel était d'assurer la sécurité du pays.

— Désolé, maman, ça craint.

— C'est ridicule ! s'est-elle écriée. Il n'y a aucun vol, on ne peut même pas rentrer à la maison.

Ils étaient coincés à Boston depuis trois jours. Congrès de médecins. L'abattement la gagnait à l'idée de passer Noël à Boston. On aurait dit qu'elle était bloquée dans une ville en guerre. Pour être honnête, la situation me plaisait. J'ai toujours aimé le côté dramatique du mauvais temps, ses désagréments. Plus c'est catastrophique, mieux je me porte, en quelque sorte.

— Ouais, ça craint, ai-je répété.

— C'est censé se calmer demain matin, mais le trafic est au point mort. Ils ne peuvent même pas nous garantir que nous serons à la maison dans la journée. Ton père essaie de louer une voiture, mais il est loin d'être le seul. Et même s'il réussit et qu'on roule toute la nuit, on ne sera pas là avant huit ou neuf heures du matin ! On ne peut quand même pas fêter Noël chacun de notre côté !

— J'irai chez le Duc. Ses parents m'ont déjà proposé de passer la nuit dans leur maison. Je leur expliquerai que je suis un enfant abandonné, et peut-être que le Duc aura de la peine de voir que ma mère ne m'aime pas et me donnera une partie de ses cadeaux.

L'intéressée m'a fait une grimace.

— Tobin, m'a repris ma mère sur un ton désapprobateur.

Son sens de l'humour laissait à désirer. Ce qui convenait parfaitement à sa profession – c'est vrai, on n'a pas forcément envie d'entendre dans la bouche de son cancérologue : « Un type entre dans un bar. Le barman lui demande : "Qu'est-ce que vous prendrez ? " Et le type lui rétorque : "Vous avez quoi ? " Le barman répond : "Je ne sais pas ce que j'ai, moi, mais je sais ce que, vous, vous avez : un mélanome de stade 3. " »

— Je veux juste dire que tout ira bien, maman. Est-ce que vous allez retourner à l'hôtel ?

— Je suppose, à moins que ton père ne réussisse à trouver une voiture. Il est vraiment formidable, tu sais.

— Tant mieux.

En remuant silencieusement les lèvres, JP m'ordonnait : « Raccroche. Le. Téléphone. » J'avais sincèrement envie de reprendre ma place sur le canapé entre le Duc et lui et d'admirer les trésors d'inventivité que déployait James Bond pour se débarrasser des méchants.

— Tout se passe bien ? m'a demandé ma mère.

C'était reparti pour un tour…

— Ouais, ouais. Enfin, il neige. Mais le Duc et JP sont là. Et ils ne peuvent pas m'abandonner parce qu'ils risqueraient la congélation s'ils essayaient de rentrer chez eux. On regarde des James Bond. L'électricité n'a pas encore été coupée.

— Téléphone s'il y a quoi que ce soit. Quoi que ce soit, d'accord ?

— Yep, t'inquiète.

— Bien, très bien. Bon sang, je suis désolée, Tobin. Je t'aime. Et je suis désolée.

— Ce n'est vraiment pas grave, ai-je répondu, parce que ça ne l'était pas.

J'étais chez moi, avec mes meilleurs amis, et sans adultes dans les pattes. Je n'ai rien contre mes parents, qui sont des gens super, mais s'ils étaient coincés à Boston jusqu'au nouvel an ça ne me poserait aucun problème.

— Je t'appellerai de l'hôtel, a conclu ma mère.

JP l'a apparemment entendue, parce qu'il a grommelé :

— C'est le contraire qui nous étonnerait.

Puis quand j'ai raccroché, il a lancé :

— Je crois qu'elle souffre d'un trouble de l'attachement.

— N'oublie pas que c'est Noël, lui ai-je rétorqué.

— Et pourquoi tu ne viendrais pas le fêter chez moi ? a-t-il demandé.

— La bouffe est trop dégueu.

J'ai contourné le canapé pour reprendre ma place sur le coussin du milieu.

— Raciste ! s'est écrié JP.

— Ça n'a rien de raciste !

— Tu viens juste de dire que la nourriture coréenne était dégueu.

— Non, ce n'est pas ce qu'il a dit, est intervenue le Duc en brandissant la télécommande pour relancer le film. Il a dit que la nourriture coréenne de ta mère était dégueu.

— Exactement. J'aime bien manger chez Deun.

— T'es un trouduc.

C'est ce que JP rétorque systématiquement quand il n'a rien à rétorquer. Dans le genre, c'est plutôt efficace. Le Duc a remis le film, puis JP a dit :

— On devrait appeler Deun.

Le Duc a pressé la touche *Pause* et s'est penchée en avant pour l'interpeller directement, puisque j'étais entre eux deux.

— JP…

— Oui ?

— Est-ce que tu pourrais, s'il te plaît, te taire ? J'aimerais profiter du corps incroyablement sexy de Daniel Craig…

— Et explorer ton homosexualité, a-t-il poursuivi.

— Je suis une fille. Je n'explore pas mon homosexualité en étant attirée par un homme. En revanche, si je disais que tu es sexy, là, ce serait le cas, parce que tu es gaulé comme une nana.

— Arrête, ai-je dit.

Le Duc a levé les yeux vers moi.

— JP est un parangon de virilité comparé à toi.

Je n'avais rien à répondre, je me suis donc contenté de lâcher :

— Deun est au travail. Sa paie est doublée le soir de Noël.

— Ah oui, a repris JP. J'oubliais que les Waffle House sont comme les cuisses de Lindsay Lohan : toujours ouvertes.

J'ai ri, le Duc s'est contentée de presser la touche *Play* en secouant légèrement la tête. Daniel Craig est sorti de l'eau en maillot de bain, et le Duc a poussé un soupir de satisfaction, pendant que JP se ratatinait dans les coussins. Au bout de quelques minutes, un bruit sec a attiré mon attention. JP. Il avait sorti son fil dentaire. Il était obsédé par son hygiène buccale.

— C'est répugnant, ai-je dit.

Le Duc a arrêté le film en me jetant un regard noir. Elle n'était pas vraiment en rogne : son minuscule nez était froncé et ses lèvres pincées, mais ses yeux riaient.

— Quoi ? a demandé JP.

Le fil pendait entre deux molaires.

— Utiliser du fil dentaire en public, c'est tout bonnement… S'il te plaît, range ça.

Il s'est exécuté à contrecœur.

— Mon dentiste prétend qu'il n'a jamais vu des gencives aussi belles. *Jamais.*

J'ai levé les yeux au ciel. Le Duc a relancé le film en mettant une mèche de cheveux derrière son oreille. J'ai fixé l'écran pendant une minute, puis, sans le vouloir, mon regard a dérivé vers la fenêtre : sous la lumière diffusée par un lampadaire au loin, les flocons ressemblaient à des milliards d'étoiles filantes miniatures. J'avais beau être désolé pour mes parents, qui étaient coincés loin de chez eux le soir de Noël, je ne pouvais m'empêcher de souhaiter qu'il continue à neiger.

2

❄❄❄

Le téléphone a sonné dix minutes plus tard.

— La vache, a dit JP en attrapant la télécommande pour appuyer sur *Pause*.

— Ta mère est pire qu'un mec collant, a ajouté le Duc.

J'ai sauté par-dessus le dossier du canapé pour prendre le combiné.

— Salut, comment ça va ? ai-je demandé.

— Tobin, a répondu la voix à l'autre bout du fil.

Ce n'était pas celle de ma mère.

— Deun, tu n'es pas cen…

— Est-ce que JP est avec toi ?

— Oui.

— Tu as un haut-parleur ?

— Pourquoi veux-tu…

— TU AS UN HAUT-PARLEUR ? a-t-il hurlé.

— Ne quitte pas.

En cherchant la touche, j'ai expliqué :

— C'est Deun. Il veut que je mette le haut-parleur. Il est très zarbi.

— Et ça t'étonne ? a répliqué le Duc. Bientôt tu vas nous annoncer que le soleil est une boule de gaz en fusion ou que JP a des couilles minuscules.

— Ne t'aventure pas sur ce terrain, a répondu JP.

— Quel terrain ? L'intérieur de ton pantalon ? Armée d'une énorme loupe pour partir à la recherche de tes minuscules couilles ?

J'avais trouvé la bonne touche.

— Deun, tu m'entends ?

— Oui, a-t-il répondu. (Il y avait beaucoup de bruit derrière lui. Il y avait des filles.) Il faut que vous soyez attentifs, les gars.

JP s'est tourné vers le Duc :

— De quel droit la propriétaire des plus petits seins de la planète se permet-elle de critiquer mes parties intimes ?

Le Duc a lancé un coussin en direction de JP.

— ÉCOUTEZ-MOI MAINTENANT ! a hurlé Deun dans le téléphone.

Tout le monde s'est aussitôt tu. Deun parle toujours comme s'il avait écrit ses phrases avant.

— Alors voilà. Mon boss n'est pas venu travailler aujourd'hui parce que sa voiture a été bloquée par la neige. Je suis donc cuisinier et directeur intérimaire. Il y a deux autres employés avec moi. 1) Mitchell Croman et 2) Billy Talos.

Mitchell et Billy étaient dans notre lycée, mais je ne pouvais pas dire pour autant qu'on se connaissait bien : je ne suis pas sûr qu'ils auraient été capables de m'identifier sur une photo de classe, d'ailleurs.

— Il y a encore une douzaine de minutes, la soirée ressemblait à une soirée comme les autres. Nos seuls clients étaient Monsieur Alu et Doris, la plus vieille fumeuse vivante des États-Unis. Puis cette fille s'est pointée, elle a été suivie par Stuart Weintraub (un autre camarade de classe, un chic type), emmitouflé dans des sacs Target. Ils ont distrait un peu Monsieur Alu pendant que je lisais *Le Chevalier noir* et…

— Deun, tu veux en venir quelque part ? lui ai-je demandé.

Il est capable de parler pour ne rien dire parfois.

— Ah ça oui, a-t-il répondu. Quatorze fois oui, même. Environ cinq minutes après l'arrivée de Stuart Weintraub, Dieu, qui est bon et tout-puissant, s'est penché sur le cas de son fidèle serviteur, Deun, et a jugé juste d'envoyer quatorze pom-pom girls dans son humble Waffle House. Messieurs, je ne me paie pas votre tête. Ma demeure est pleine de pom-pom girls. Leur train est bloqué par la neige, et elles vont passer la nuit ici. Elles ont consommé une quantité incroyable de caféine. Et elles font le grand écart sur les tables. Je vais être parfaitement clair : un miracle de Noël s'est produit à la Waffle House. Je contemple leurs pompons au moment où je vous parle. Elles sont tellement sexy qu'elles feraient fondre la neige. Elles sont tellement sexy qu'elles sont en train de réchauffer des parties de mon cœur qui étaient glacées depuis si longtemps que j'avais presque oublié leur existence.

Une voix de fille – à la fois joyeuse et sensuelle – a résonné dans le téléphone. Je fixais le combiné avec vénération. Et JP, qui m'avait rejoint, aussi.

— Ce sont tes amis ? J'y crois pas ! Dis-leur d'apporter un Twister ! a lancé la voix féminine.

Deun a repris la ligne :

— Maintenant vous comprenez ce qui est en jeu ! La plus belle nuit de ma vie vient de commencer. Et elle pourrait aussi devenir la plus belle de la vôtre... Je vous invite à me rejoindre, parce que je suis le meilleur des amis que vous ayez jamais eus. Mais voilà le hic : dès que j'aurai raccroché, Mitchell et Billy appelleront leurs potes. Et nous sommes tombés d'accord : il n'y a pas de place pour tout le monde. Je ne peux pas me permettre de diluer davantage le ratio pom-pom girls / mecs. En tant que directeur intérimaire, j'ai eu le droit de passer le premier coup de fil. Vous avez donc une longueur d'avance. Je sais que vous ne me décevrez pas. Je sais que je peux compter sur vous pour apporter un Twister. Messieurs, puisse votre route être sans embûches. Néanmoins, si, d'aventure, vous trouviez la mort ce soir, reposez en paix : vous vous serez sacrifiés à la plus noble des causes humaines, la conquête des pom-pom girls.

3

❄❄❄

JP et moi n'avons même pas pris le temps de raccrocher.

— Il faut que je me change ! ai-je lancé.

JP a ajouté :

— Moi aussi.

— Duc, le Twister ! Dans le placard à jeux ! ai-je alors complété.

J'ai filé au premier. J'ai glissé sur le parquet de la cuisine et trébuché en entrant dans ma chambre. J'ai ouvert en grand les portes de ma penderie et je me suis mis à fouiller frénétiquement la pile au sol dans le vain espoir de dégoter la chemise idéale, rayée et pas trop froissée, qui aurait donné une image parfaite de moi : « Je suis un homme fort et résistant, mais je sais également prêter une oreille attentive, et j'ai une admiration sans bornes pour le soutien que les pom-pom girls apportent aux sportifs. » Malheureusement, cette merveille ne se cachait pas dans le tas de vêtements. J'ai rapidement arrêté mon choix sur un tee-shirt jaune, sale mais classe, et sur un pull à col en V noir. J'ai troqué mon jean décontracté – idéal pour regarder des James Bond avec JP et le Duc – contre un autre plus foncé, et plus chic.

J'ai vérifié que je ne sentais pas mauvais, avant de courir dans la salle de bains, où je me suis généreusement appliqué du déodorant sous les bras, puis je me suis regardé dans le miroir. Ça allait, sauf pour ma coiffure un peu de traviole. Je suis retourné dans ma chambre à toute vitesse, j'ai ramassé mon manteau qui traînait par terre, enfilé mes Puma, puis dévalé les escaliers sans prendre le temps de les lacer en criant :

— Tout le monde est prêt ? Je suis prêt ! On y va !

En bas, j'ai trouvé le Duc assise au milieu du canapé, devant le James Bond.

— Le Twister. Ton anorak. La voiture.

J'ai lancé en direction de l'étage :

— JP, où es-tu ?

— Tu as un autre manteau pour moi ?

— Non, prends le tien !

— Mais je n'ai qu'une veste légère !

— Dépêche-toi !

Étonnamment, le Duc n'avait toujours pas arrêté le film.

— Duc, le Twister, ton anorak, la voiture, ai-je répété.

Elle a arrêté le film avant de se retourner vers moi.

— Tobin, quelle est ta définition de l'enfer ?

— Il me semble que je peux très bien répondre à cette question dans la voiture !

— Pour moi, c'est de passer l'éternité dans une Waffle House pleine de pom-pom girls.

— Allez, viens, lui ai-je répondu, ne fais pas l'idiote.

Elle s'est levée, le canapé était entre nous.

— Tu es en train de m'expliquer que nous devrions affronter la pire tempête de ces cinquante dernières années, rouler une trentaine de kilomètres et aller traîner avec une bande de nénettes qui rêvent de jouer à un jeu destiné, comme le dit la boîte, aux gamins de six ans, et c'est moi l'idiote ?

— JP ! Dépêche-toi ! ai-je lancé en direction des escaliers.

— Je fais de mon mieux, a-t-il répondu, mais je suis partagé entre deux exigences, la vitesse et l'élégance !

J'ai contourné le canapé pour venir entourer de mon bras les épaules du Duc. Je lui ai souri. Nous étions amis depuis longtemps, je la connaissais bien. Je savais qu'elle détestait les pom-pom girls et le mauvais temps. Je savais qu'elle détestait quitter le canapé quand on regardait un James Bond. Mais je savais aussi qu'elle raffolait des gaufres de la Waffle House.

— Il y a deux choses auxquelles tu ne peux pas résister, ai-je commencé. La première, c'est James Bond.

— En effet, a-t-elle répondu. Et l'autre ?

— Les gaufres. Les délicieuses gaufres de la Waffle House.

Subitement, elle ne me voyait plus. Son regard passait à travers moi, à travers les murs de la maison, à travers la neige. Elle a plissé les paupières pour voir encore plus loin. Pour voir ces fameuses gaufres.

— Imagine-les avec du chocolat fondu et de la chantilly…

Elle a secoué la tête en fermant les yeux.

— Je me fais toujours avoir par mon amour des gaufres ! Mais je refuse de rester coincée là-bas toute la nuit.

— Une heure grand max si tu ne t'amuses pas, ai-je promis.

Elle a acquiescé. Pendant qu'elle allait chercher son anorak, j'ai ouvert le placard à jeux et j'ai mis la main sur une boîte de Twister aux coins usés. Quand je me suis retourné, JP se tenait devant moi.

— La vache !

Il portait un truc immonde, qu'il avait extrait des profondeurs de la penderie de mon père : une sorte de combinaison-fuseau en pilou bleu. Sans oublier la touche finale, un bonnet à oreillettes.

— On dirait un bûcheron déguisé en bébé.

— La ferme, trouduc. Ça fait beau gosse de station de ski qui vient de passer sa journée à sauver des vies avec la patrouille de chasseurs alpins.

Le Duc a éclaté de rire.

— Je trouve que ça fait plutôt mec qui se dit que ce n'est pas parce qu'il n'a pas été la première femme astronaute qu'il ne peut pas porter sa combinaison.

— Bon, très bien, je vais aller me changer, a-t-il rétorqué.

— ON N'A PAS LE TEMPS ! ai-je crié.

— Tu devrais mettre des bottes, a observé le Duc en avisant mes Puma.

— PAS LE TEMPS !

Je les ai poussés dans le garage, vers Carla, le 4 × 4 blanc de mes parents. Huit minutes s'étaient écoulées depuis que Deun avait raccroché. Notre longueur d'avance s'était probablement réduite à néant. Il était vingt-trois heures quarante-deux. En temps normal, il fallait environ vingt minutes pour atteindre de nuit la Waffle House.

Mais cette nuit n'aurait rien de normal.

4

❄❄❄

Ce n'est qu'en ouvrant la porte automatisée du garage que j'ai réalisé que le défi était de taille : une épaisse couche de neige recouvrait l'allée. Le Duc et JP étaient arrivés à l'heure du déjeuner et depuis il avait dû tomber au moins quarante centimètres.

J'ai activé le mode quatre roues motrices.

— Je vais… euh… D'après vous je roule directement là-dessus ?

— FONCE ! a crié JP depuis la banquette arrière (le Duc avait remporté la place du mort).

J'ai pris une profonde inspiration et passé la marche arrière. Carla a rencontré une légère résistance en arrivant sur la neige, mais elle s'est frayé un chemin sans problème. J'ai reculé dans l'allée. À vrai dire, j'avais davantage l'impression de faire du patin à glace que de conduire une voiture. Bientôt, grâce à la chance plus qu'à mes talents de conducteur, la voiture était sortie de l'allée, tournée dans la bonne direction. Les rues de notre quartier étaient tapissées de neige sur environ trente centimètres d'épaisseur. Elles n'avaient été ni salées ni déblayées.

— C'est vraiment une façon débile de mourir, a fait remarquer le Duc.

Je commençais à être de son avis. À l'arrière, JP a hurlé :

— Soldats ! Ce soir, nous dînerons à la Waffle House !

J'ai hoché la tête avant d'enclencher une vitesse et d'appuyer sur la pédale d'accélérateur. Les roues ont tourné dans le vide avant que la voiture démarre. Les flocons de neige paraissaient dotés d'une vie propre dans la lumière des phares. Je ne distinguais pas les virages, sans parler du marquage au sol, je me contentais donc de me diriger entre les boîtes aux lettres.

Le quartier de Grove Park est dans une sorte de cuvette – pour en sortir il faut gravir une petite côte. Comme JP, le Duc et moi y avons grandi, j'ai emprunté ladite côte des milliers de fois. C'est pourquoi l'éventualité d'un problème ne m'a même pas effleuré quand nous nous y sommes engagés. Très vite, je me suis rendu compte que la pression que j'exerçais sur l'accélérateur n'affectait en rien la vitesse à laquelle nous gravissions la pente. J'ai éprouvé une pointe de terreur. Nous nous sommes mis à ralentir. J'ai appuyé sur l'accélérateur et entendu les roues tourner dans le vide. La voiture continuait à avancer, très lentement, et je pouvais voir le sommet de la côte et le bitume noir de la route dégagée en surplomb.

— Allez, Carla, ai-je marmonné.

— Appuie sur le champignon, a suggéré JP.

J'ai obtempéré, les roues ont tourné encore plus vite,

et puis, soudain, Carla a cessé de grimper. Un long moment s'est écoulé entre l'instant où Carla s'est immobilisée et celui où elle s'est mise à glisser le long de la pente. Un laps de temps silencieux et contemplatif.

Je n'ai rien d'une tête brûlée. Je ne suis pas du genre à entreprendre la traversée des États-Unis à pied, ni à partir en mission dans un pays d'Amérique centrale, ni même à manger des sushis. Quand j'étais petit et que je ne réussissais pas à trouver le sommeil parce que j'avais peur, ma mère me demandait toujours : « Qu'est-ce qui pourrait arriver de pire ? » Elle pensait que c'était le meilleur moyen de me réconforter, que je me rendrais compte que les éventuelles erreurs dans mon devoir de maths n'auraient pas de graves répercussions sur ma qualité de vie. Mais c'était exactement l'inverse qui se produisait. Par exemple, si je m'inquiétais pour mon devoir de maths, je prenais soudain conscience que ma prof était capable de me hurler dessus. Ou que, si elle me signifiait son mécontentement gentiment, je risquais d'avoir de la peine et de pleurer. Tout le monde me traiterait de bébé, ce qui renforcerait mon isolement. Comme personne ne m'aimerait, je me réfugierais dans la drogue. Arrivé en CM2, je serais accro à l'héroïne. Et je mourrais. Voilà ce qui pouvait arriver de pire. Et c'était parfaitement réaliste. J'avais toujours cru, dur comme fer, qu'en considérant le pire je réussirais à y échapper. Je venais pourtant de trahir ma philosophie suite à un coup de fil de Deun. Et pour quoi ? Pour des pom-pom girls que je ne connaissais même pas ? Non que j'aie quoi que ce soit contre elles, mais j'aurais sans doute pu sacrifier ma prudence sur l'autel de meilleures causes.

J'ai senti que le Duc m'observait. Ses yeux étaient écarquillés, j'y ai lu de la peur et peut-être un peu de colère. Ce n'est qu'à ce moment-là que j'ai pensé à ce qui pouvait arriver de pire. Si je survivais, mes parents me tueraient pour avoir embouti la voiture. Je serais privé de sorties pendant des années – voire des décennies. Je devrais travailler plusieurs centaines d'heures pendant mes vacances afin de payer les réparations.

C'est alors que l'inévitable s'est produit. La voiture a glissé en zigzaguant vers la maison. J'ai écrasé la pédale de frein, le Duc a tiré le frein à main, mais Carla continuait son slalom, ne répondant que rarement à mes coups de volant frénétiques.

J'ai senti un léger choc, et j'en ai déduit que nous venions de couper un virage et de monter sur un trottoir ; la voiture était entrée dans le jardin d'un de mes voisins. La couche de neige atteignait le bas de caisse. On est passés si près de la maison que j'ai pu discerner, à travers la fenêtre du salon, les décorations du sapin. Carla a miraculeusement évité une camionnette garée dans l'allée. En observant, dans le rétroviseur, les boîtes aux lettres, les voitures et les baraques qui se rapprochaient dangereusement, mon regard a croisé celui de JP. Il souriait. Le pire était enfin en train d'arriver. Et c'était presque un soulagement, je crois. En tout cas, en le voyant sourire, j'ai eu envie de sourire à mon tour.

J'ai jeté un coup d'œil au Duc, puis j'ai lâché le volant. Elle a secoué la tête en signe de désapprobation, mais elle se fendait la pêche, elle aussi. Pour montrer que je ne contrôlais plus rien, j'ai repris le volant, et j'ai donné de grands coups dans un sens puis dans l'autre. Elle a éclaté de rire.

— On est foutus.

Soudain, les freins ont répondu, je me suis senti plaqué contre mon siège et nous nous sommes arrêtés.

— Purée, je n'en reviens pas ! s'est écrié JP. On n'est pas morts ! On n'est pas morts !

J'ai observé les alentours. À environ un mètre cinquante de la portière côté passager se trouvait la maison d'un couple de retraités, les Olney. Il y avait de la lumière, et Mme Olney, dans une chemise de nuit blanche, avait le visage pour ainsi dire collé contre la vitre : elle nous dévisageait la bouche grande ouverte. Le Duc lui a fait signe. J'ai remis la voiture en mouvement et je suis sorti prudemment du jardin des Olney en me dirigeant vers ce qui était, je l'espérais, la rue. J'ai coupé le moteur, mes mains frémissaient sur le volant.

— Bien, a dit JP en essayant de se calmer. Oh ! là, là, là, là, là, là !

Il a pris une profonde inspiration avant d'ajouter :

— C'était géant ! Le meilleur tour de manège de ma vie !

— J'essaie de ne pas me pisser dessus, lui ai-je rétorqué.

J'étais décidé à rentrer mater d'autres James Bond en mangeant du pop-corn, puis à dormir quelques heures, avant de fêter Noël avec le Duc et ses parents. J'avais vécu sans pom-pom girls pendant dix-sept ans et demi. Je pouvais me dispenser de leur présence un jour de plus.

JP était intarissable :

— Tout du long, je me disais : « Mec, tu vas mourir dans une combi de ski bleue. » J'imaginais ma mère contrainte d'identifier mon corps... Elle aurait passé le restant de sa vie à penser que, dans l'intimité, son fils aimait s'habiller comme une star du porno des années soixante-dix.

— Je crois que je peux survivre à une nuit sans gaufres, a ajouté le Duc.

— Ouais, ai-je acquiescé, ouais.

JP a protesté, il voulait refaire un tour de manège, mais j'avais eu ma dose de sensations fortes. J'ai appelé Deun, mes doigts tremblaient en pressant les touches.

— Écoute, mec, impossible de sortir de Grove Park, il y a trop de neige, lui ai-je expliqué.

— Mon pote, a répondu Deun, fais un effort. Les copains de Mitchell ne sont pas encore partis, à ce que j'en sais. Et Billy a demandé à deux types de la fac d'apporter une barrique de bière, parce que pour que ces demoiselles s'abaissent à parler à Billy il faudrait qu'elles soient ivres… Aïe ! Désolé, Billy vient de me frapper avec son chapeau en papier. Je suis le directeur intérimaire, Billy ! Et je ferai un rapport sur ton attit… Aïe ! S'il te plaît, Tobin, viens. Je n'ai pas envie d'être bloqué ici avec Billy et une bande d'ivrognes. Le restaurant va être saccagé, je vais être viré, et… s'il te plaît !

JP répétait :

— Un autre tour ! Un autre tour ! Un autre tour !

J'ai rabattu le clapet du téléphone en me tournant vers le Duc. J'étais décidé à convaincre JP de rentrer à la maison quand la sonnerie de mon portable a résonné. Ma mère.

— On n'a pas trouvé de voiture, on est à l'hôtel. Il sera minuit dans huit minutes, je comptais attendre, mais ton père est fatigué et voudrait se coucher…

J'ai reconnu le « Joyeux Noël » monotone de mon père, une octave en dessous de celui, guilleret, de ma mère.

— Joyeux Noël, ai-je répondu. Appelez si vous avez du neuf. Nous avons encore deux James Bond à regarder.

Juste avant que ma mère raccroche, le signal du double appel a retenti. Deun. Je l'ai mis sur haut-parleur.

— Dis-moi que tu es sorti de Grove Park.

— Mon pote, je viens de te le dire. On est toujours au pied de la côte. Je crois qu'on va rentrer…

— Rappliquez. Ici. Immédiatement. J'ai découvert qui Mitchell a invité : Timmy et Tommy Reston. Ils sont en route. Vous pouvez encore les battre. Je sais que vous en êtes capables ! Vous le devez ! Je ne laisserai pas les jumeaux Reston gâcher mon miracle de Noël à pompons !

Il a raccroché. Deun avait un véritable don pour les annonces grandiloquentes. À sa décharge, les jumeaux Reston étaient effectivement capables de saboter tout ce qu'ils touchaient. Timmy et Tommy avaient beau être de vrais jumeaux, ils ne se ressemblaient absolument pas. Timmy pesait cent trente kilos sans être gros. Il était fort et incroyablement rapide, ce qui faisait naturellement de lui le meilleur joueur de l'équipe de foot du lycée. Tommy, quant à lui, aurait pu tenir dans une jambe d'un pantalon de Timmy, mais, ce qui lui manquait en taille, il le compensait largement en agressivité. À l'école primaire, ils se bagarraient comme des chiffonniers. J'aurais été étonné de découvrir qu'ils avaient encore une seule de leurs dents d'origine.

Le Duc m'a interrogé du regard.

— Il ne s'agit plus seulement de nous, ou des pompom girls. Il s'agit de protéger Deun des frères Reston.

— S'ils sont coincés à la Waffle House pendant plusieurs jours et qu'ils viennent à manquer de nourriture, vous savez ce qui risque d'arriver… a renchéri JP.

Le Duc a accepté de jouer le jeu.

— Ils seront contraints de se bouffer entre eux, et Deun sera la première victime.

— Et la voiture ? ai-je demandé en secouant la tête.

— Pense aux pom-pom girls, m'a supplié JP.

Ce n'était pas à elles que je pensais en acquiesçant. Je pensais à la côte à franchir, je pensais aux rues déneigées au-delà, qui pouvaient nous emmener n'importe où.

5

❄❄❄

Le Duc, à son habitude, avait un plan. Nous étions toujours arrêtés au beau milieu de la route lorsqu'elle nous en a fait part.

— Notre problème, c'est que nous avons perdu de la vitesse au milieu de la côte. Pourquoi ? Parce que nous n'en avions pas pris suffisamment au départ. Prends le maximum de recul en ligne droite, puis fonce. On abordera la pente beaucoup plus vite, et avec l'élan on atteindra le sommet.

Je n'étais pas particulièrement séduit par son plan, mais je n'en avais pas de meilleur. J'ai donc reculé en plaçant bien la voiture face à la côte, à peine visible à travers la neige qui tombait à gros flocons. Je ne me suis arrêté qu'en atteignant le jardin d'un voisin. Un immense chêne se dressait à quelques centimètres du pare-chocs arrière de Carla. J'ai fait tourner les roues dans le vide pour tasser la neige compacte.

— Vos ceintures sont bien attachées ? ai-je demandé.

— Oui, ont-ils répondu à l'unisson.
— Les airbags sont armés ?
— Affirmatif, a dit le Duc.
Je l'ai regardée. Elle a souri en haussant les sourcils. J'ai acquiescé.
— Vous me donnez le compte à rebours ?
— Cinq, ont-ils commencé en chœur, quatre, trois…
J'ai enclenché la vitesse.
— … deux, un.
J'ai appuyé sur le champignon, et Carla a décollé, alternant phases d'accélération et d'aquaplaning sur les plaques de verglas. On a abordé la pente à soixante kilomètres à l'heure, soit trente de plus que la limite autorisée à Grove Park. Je me suis soulevé du siège, la ceinture de sécurité plaquée sur le torse, pour peser de tout mon poids sur la pédale, mais les roues tournaient dans le vide. On a commencé à ralentir.
— Allez ! a lancé le Duc.
— Tu peux le faire, Carla, a grommelé JP.
Elle a continué son ascension tout en décélérant.
— Carla, traîne ton gros cul jusqu'en haut ! ai-je hurlé en tapant sur le volant.
— Ne lui parle pas comme ça, a répliqué le Duc. Elle a besoin d'encouragements. Carla, ma chérie, on t'aime. Tu es une super voiture. On a confiance en toi. À cent pour cent.
JP s'est mis à paniquer.
— On n'y arrivera jamais.
Le Duc a répliqué d'une voix calme :
— Ne l'écoute pas, Carla. Tu vas réussir.
J'apercevais de nouveau le sommet de la côte, et la surface noire de la grande route. Carla semblait dire : « Je crois que j'en suis capable », et le Duc caressait le

tableau de bord en répétant : « Je t'aime, Carla, tu le sais bien, non ? Tous les matins, quand je me réveille, ma première pensée est pour toi, mon amour. Pour la voiture de la mère de Tobin. Ça peut paraître étrange, ma chérie, mais c'est vrai. Je t'aime. Et je sais que tu peux y arriver. »

Je continuais à écraser l'accélérateur, et les roues s'emballaient. L'aiguille du cadran de vitesse était tombée à quinze kilomètres à l'heure. Une congère de près de un mètre de haut nous bloquait le passage – sans doute due au chasse-neige qui avait déblayé la voie. Nous étions si près du but… Le compteur est descendu à dix kilomètres à l'heure.

— La vache, ça fait une sacrée pente, a lâché JP d'une voix inquiète.

J'ai jeté un coup d'œil dans le rétroviseur : il avait raison. On continuait à avancer au ralenti. La déclivité s'atténuait, mais la voiture allait craquer à quelques mètres du but. Je continuais à m'acharner sur la pédale, en vain.

— Carla, a repris le Duc, il est temps de t'avouer la vérité. Je suis amoureuse de toi. Je veux faire ma vie avec toi, Carla. Je n'ai jamais rien éprouvé de tel pour une voit…

Les pneus ont subitement accroché la neige, et Carla a foncé dans la congère. La neige atteignait la base du pare-brise, mais nous sommes passés, moitié par-dessus la congère, moitié à travers. Carla a ralenti une fois l'obstacle franchi, et j'ai enfoncé le frein à l'approche du panneau *Stop*. L'arrière de la voiture a dérapé, et, au lieu de nous arrêter à la ligne blanche, nous nous sommes retrouvés sur la route principale, dans la bonne direction. J'ai relâché la pédale de frein et mis les gaz.

— OUIIIIIIIIII ! a crié JP en se penchant pour ébouriffer les cheveux bouclés du Duc. ON A ASSURÉ ! ON N'EST PAS MORTS !

— J'en connais une qui sait parler aux voitures, ai-je ajouté.

Mon corps entier était comme électrisé. Le Duc avait conservé son calme.

— Aux grands maux les grands remèdes, a-t-elle répondu en se recoiffant.

Nous avons parcouru les dix premiers kilomètres sans encombre – la route monte et descend, ce qui ne facilitait pas la conduite, mais on était seuls sur la chaussée et, même si elle était trempée, le sel l'empêchait d'être glissante. De toute façon, je roulais à la vitesse plus que raisonnable de trente kilomètres à l'heure, à laquelle les virages semblent moins terrifiants. Nous avons gardé le silence un long moment – se repassant, chacun, le film de notre exploit, j'imagine. Régulièrement, JP soufflait en disant : « Je n'en reviens pas que nous soyons vivants », ou un truc approchant. La neige était trop épaisse et le bitume trop humide pour qu'on puisse mettre de la musique – on n'aurait rien entendu... C'est le Duc qui a rompu le silence :

— Je pourrais savoir d'où vient cette obsession pour les pom-pom girls ?

La question s'adressait à moi. J'étais sorti quelques mois avec une fille qui s'appelait Brittany et qui faisait partie de l'équipe de pom-pom girls du lycée. Lesquelles étaient plutôt douées d'ailleurs ; elles étaient, en tout cas, plus sportives que les joueurs de foot qu'elles supportaient. Et elles avaient la réputation de laisser beaucoup de cœurs brisés dans leur sillage – Stuart

Weintraub, le type que Deun avait aperçu à la Waffle House, avait été complètement anéanti par une pom-pom girl, Chloé.

— Mmmm… Et si c'était tout simplement parce qu'elles sont canons ? a suggéré JP.

— Non, ai-je rétorqué en essayant d'être sérieux. C'était une coïncidence, ce n'est pas parce que Brittany était pom-pom girl qu'elle me plaisait. Elle était chouette, non ?

— Ouais, dans le genre tyran en minijupe, a dit le Duc.

— Brittany était chouette, est intervenu JP. C'est juste qu'elle ne t'aimait pas, parce qu'elle ne pigeait pas.

— Qu'est-ce qu'elle ne pigeait pas ? a demandé le Duc.

— Que tu n'es pas… comment dire ? une menace. La plupart des filles n'ont pas envie de voir leur copain passer tout son temps avec une autre nana. Brittany n'a pas compris que tu n'étais pas vraiment une fille.

— Si tu entends par là que je n'aime pas la presse people, que je préfère manger plutôt que m'affamer, que je refuse de regarder les émissions de télé sur les mannequins et que je déteste le rose, alors oui, je suis fière de ne pas être vraiment une fille.

Brittany n'appréciait effectivement pas le Duc, mais JP n'avait pas davantage ses faveurs. D'ailleurs, moi non plus. Rapidement, elle avait été agacée par mon humour, ma façon de mâcher et tout le reste. Ce qui expliquait d'ailleurs notre rupture. La vérité, c'est que ça ne m'avait jamais embêté plus que ça. Je l'avais eu mauvaise quand elle m'avait largué, mais je ne l'avais pas vécu comme un cataclysme, à la Weintraub. Je n'étais pas vraiment amoureux de Brittany. Et c'était sans doute ce qui avait fait la différence. Elle était mignonne, intelligente et intéressante, mais nous n'avions jamais eu grand-chose à nous dire. Je n'avais pas le sentiment de jouer gros avec elle, parce que j'avais toujours su comment ça se terminerait.

Je détestais parler de Brittany, mais le Duc ramenait systématiquement le sujet sur le tapis, sans doute pour le plaisir inégalable de me taquiner. Ou parce qu'elle n'avait pas de rupture sentimentale à son actif. Beaucoup de mecs appréciaient le Duc, mais elle ne s'intéressait à personne. Elle ne nous rebattait jamais les oreilles avec des histoires interminables : « Il est trop mignon et, des fois, il me regarde, mais, des fois, il m'ignore, je ne sais pas comment je dois le prendre… » C'était une de ses qualités. Elle était normale. Elle aimait plaisanter, parler de cinéma, et ça ne la dérangeait pas de nous crier dessus ou de se faire crier dessus. Elle était plus accessible que les autres filles.

— Je ne suis pas obsédé par les pom-pom girls, ai-je repris.

— Mais, est intervenu JP, on est tous les deux fascinés par les filles canons qui aiment le Twister. Ça n'a rien à voir avec les pom-pom girls. En revanche, ça a tout à voir avec l'amour de la liberté, de l'espoir et de l'esprit américain.

— Ouais, eh bien, traite-moi de mauvaise patriote, si tu veux, mais je ne comprends toujours pas. Les pompons n'ont rien d'excitant. Le mystère, oui. L'ambivalence aussi.

— C'est ça, a rétorqué JP. C'est pour ça que tu sors avec Billy Talos. Il n'y a rien de plus ténébreux qu'un serveur de gaufres.

J'ai jeté un coup d'œil dans le rétroviseur pour voir si JP plaisantait, ça n'avait pas l'air d'être le cas. Le Duc lui a pincé le genou.

— Ce n'est qu'un boulot.

— Attends, tu sors avec Billy Talos ? ai-je demandé.

J'étais surpris, parce que je n'aurais jamais cru que le Duc sortirait avec quelqu'un, mais aussi parce que Billy Talos était du genre à regarder un match de foot en buvant de la bière. Je voyais mal le Duc accepter ça. Elle n'a pas répondu immédiatement.

— Non, c'est juste qu'il m'a invitée au prochain bal.

Je n'ai rien dit – je trouvais bizarre qu'elle en ait parlé à JP et pas à moi.

— J'espère que tu ne le prendras pas mal, a-t-il repris, mais Billy Talos a le cheveu un peu gras, non ? J'ai le sentiment que si tu les égouttais tous les deux jours tu pourrais mettre un terme à la crise pétrolière.

— Je ne le prends pas mal, a répondu le Duc dans un éclat de rire.

À l'évidence, elle n'était pas plus mordue que ça. Et je n'arrivais vraiment pas à l'imaginer avec lui – indépendamment du problème capillaire, il ne me paraissait ni très drôle ni très passionnant. Enfin, bref.

Le Duc et JP se sont lancés dans un débat passionné sur le menu de la Waffle House, en se demandant si le pain perdu était meilleur avec ou sans raisins secs. C'était le fond sonore idéal pour conduire. Les flocons de neige fondaient dès qu'ils atterrissaient sur le pare-brise, et les essuie-glaces les chassaient sur les côtés. Les pleins phares faisaient luire l'asphalte mouillé.

J'aurais bien continué sur cette route, mais le croisement avec Sunrise Avenue se rapprochait et je devais m'y engager pour rejoindre l'autoroute et la Waffle House. Il était minuit vingt-six.

— Eh ! les ai-je interrompus.

— Quoi ? a demandé le Duc.

J'ai quitté la route des yeux, l'espace d'un instant, pour la regarder.

— Joyeux Noël !

— Joyeux Noël ! a-t-elle répondu. Joyeux Noël, JP.

— Joyeux Noël, les trouducs !

6

❄❄❄

Les bancs de neige, de part et d'autre de Sunrise Avenue, étaient immenses, aussi hauts que la voiture, et j'avais l'impression de me trouver sur une piste de bobsleigh. JP et le Duc se taisaient, concentrés eux aussi sur la route. On avait encore trois kilomètres à parcourir avant d'atteindre le centre-ville, puis on bifurquerait vers l'est, et deux kilomètres plus loin on tomberait sur la Waffle House, au bord de l'autoroute. Le silence a été rompu par une chanson de rap des années quatre-vingt-dix, c'était le portable de JP.

— Deun, a-t-il annoncé.

Il a mis le haut-parleur.

— BORDEL, VOUS ÊTES OÙ, LES GARS ?

Le Duc s'est retournée pour que Deun entende sa voix bien distinctement.

— Deun, dis-moi ce que tu vois par la fenêtre.

— Je vais surtout te dire ce que je ne vois pas ! Vous n'êtes pas sur le parking de la Waffle House ! On n'a pas de nouvelles des copains de fac de Mitchell, mais Billy vient d'en avoir des jumeaux : ils sont presque sur Sunrise.

— Alors tout va bien, parce que nous sommes *déjà* sur Sunrise, ai-je dit.

— MAGNEZ-VOUS ! Les pom-pom girls réclament leur Twister ! Attendez, ne quittez pas… Elles répètent leur pyramide, et elles ont besoin de moi pour la parade. J'ai bien dit la parade. Vous savez ce que ça signifie ? Si elles tombent, elles tombent dans *mes* bras. C'est un cas de force majeure. *Clic.*

Il avait raccroché.

— Appuie sur le champignon, champion ! a lancé JP.

J'ai ri en maintenant ma vitesse. Il suffisait de conserver notre avance.

Tant qu'à se laisser glisser dans une rue à bord d'un 4 × 4, Sunrise Avenue n'était pas la pire : son tracé est très rectiligne pour Gracetown. Comme il y avait des traces de pneus pour me guider, je suis monté à quarante kilomètres à l'heure. On atteindrait le centre-ville en deux minutes, et, dix minutes plus tard, on mangerait les fameux toasts au fromage de Deun – qui ne figuraient pas au menu. Je me représentais très bien la couche jaune et fondante de fromage, je sentais déjà sur ma langue les saveurs riches, si complexes qu'elles ne pouvaient être comparées à aucune autre. Les toasts au fromage ont le goût de l'amour sans la peur de le voir disparaître, voilà ce que je pensais en abordant un virage à angle droit – juste après, Sunrise Avenue dévalait tout droit jusqu'au centre-ville.

Je l'ai pris exactement comme on me l'avait appris à l'auto-école : en tournant légèrement le volant à droite, les mains placées à dix heures dix, et en effleurant les freins. Carla n'a pas eu la réaction attendue : elle a continué à filer tout droit.

— Tobin, a dit le Duc. Tourne, tourne, Tobin, tourne !

Sans un mot, j'ai continué à orienter le volant vers la droite en appuyant sur la pédale de frein. La voiture a commencé à ralentir à l'approche de la congère, mais, à aucun moment, elle n'a fait mine d'aborder le virage. Au lieu de ça, elle a fini sa course dans le mur de neige avec un énorme *boum*.

Merde. Carla penchait sur la gauche, et le pare-brise n'était plus qu'une surface blanche parsemée de goudron. Des pans de neige glacée tombaient à l'arrière de la voiture : on allait être enterrés ! J'ai réagi à cette découverte avec le langage raffiné qui me caractérise :

— Merde merde merde merde merde merde merde... Débile débile débile débile débile merde...

7

❄❄❄

Le Duc s'est penchée au-dessus de moi pour couper le moteur.

— Autant éviter un empoisonnement au monoxyde de carbone, a-t-elle décrété posément, avant d'ordonner : On sort par l'arrière !

Son ton autoritaire m'a calmé. JP a enjambé le dossier de la banquette arrière pour aller ouvrir la portière du coffre. Elle n'a pas résisté. Le Duc a suivi, puis moi, les pieds en premier. Maintenant que j'avais repris mes esprits, j'allais enfin pouvoir analyser la situation avec sérénité.

— Merde merde merde !

J'ai décoché un coup de pied dans le pare-chocs arrière, un bloc de neige m'a atterri sur le visage.

— Idée débile putain débile putain mes parents merde merde merde.

JP a posé une main sur mon épaule.

— Ça va aller.

— Non, ça ne va pas aller. Et tu le sais très bien.

— Mais si, a-t-il insisté. Ça va même aller très bien, parce que je vais dégager la voiture, et que quelqu'un va forcément passer par là. On demandera de l'aide aux jumeaux, si besoin. C'est vrai, ils ne vont pas nous laisser mourir de froid.

— Puis-je faire remarquer, m'a demandé le Duc avec un sourire en coin, que tu vas très vite regretter de ne pas avoir écouté mon conseil concernant tes chaussures ?

J'ai baissé les yeux sur mes Puma et frissonné. L'optimisme de JP n'était pas entamé.

— Oui ! Tout va s'arranger ! Je savais bien que Dieu m'avait doté d'une musculature de rêve pour une raison, mec. Dégager ta voiture ! Je n'ai même pas besoin de ton aide. Vous pouvez papoter pendant que Hulk accomplit des miracles.

JP pesait au mieux soixante-cinq kilos. Et les écureuils ont une musculature plus impressionnante que la sienne. Mais JP ne se laissait pas démonter. Il a noué sous son menton les oreillettes du bonnet, puis il a sorti de sa combinaison hyper moulante une paire de gants en laine.

Je n'avais pas l'intention de l'aider, parce que je savais que c'était vain. Carla était enfoncée sur une longueur de près de deux mètres dans une congère presque aussi haute que moi, et nous n'avions pas de pelle. Je suis donc resté planté à côté du Duc.

— Désolé, lui ai-je dit en glissant sous mon bonnet une mèche trempée qui s'en était échappée.

— Eh, ce n'est pas ta faute ! C'est celle de Carla. Tu tournais le volant, Carla n'a pas voulu écouter. Je savais que je n'aurais jamais dû tomber amoureuse d'elle. Elle est comme les autres, Tobin, il suffit que je lui avoue mon amour pour qu'elle me lâche.

J'ai éclaté de rire.

— Je ne t'ai jamais lâchée, ai-je dit en lui passant une main dans le dos.

— Ouais, eh bien, a) je ne t'ai jamais avoué mon amour, et b) tu ne me considères même pas comme une fille.

— On est foutus, ai-je répondu distraitement, en me détournant pour observer JP.

Il s'était frayé un passage jusqu'à la portière côté passager. Je devais reconnaître qu'il était efficace, une vraie petite taupe.

— Ouais, je caille déjà, a-t-elle lâché en se serrant contre moi.

J'avais du mal à croire qu'elle pouvait avoir froid sous cet énorme anorak de ski, mais, au moins, elle me rappelait que je n'étais pas seul. J'ai tiré sur son bonnet tout en plaçant un bras autour de ses épaules.

— Duc, qu'est-ce qu'on va faire ?

— On s'amuse sans doute plus qu'à la Waffle House, tu sais.

— Oui, sauf qu'il n'y a pas Billy Talos, l'ai-je taquinée. Maintenant je comprends pourquoi tu as accepté de venir. Ça n'avait rien à voir avec les gaufres !

— Tout a à voir avec les gaufres. Comme dirait l'autre : le cours des choses dépend des gaufres luisantes d'huile, et de la crème Chantilly qui les accompagne.

Je ne pigeais rien à ce qu'elle racontait. J'ai fixé la route en me demandant quand une voiture viendrait nous sauver.

— Je sais que ça craint, mais c'est sans doute le Noël le plus excitant de notre vie, a-t-elle lancé.

— Ouais, et ça me rappelle pourquoi je suis un incorrigible casanier.

— Ça fait du bien de prendre un petit risque de temps en temps, a rétorqué le Duc.

— Je ne pourrais pas être moins d'accord, et la situation me donne d'ailleurs raison. J'ai pris un risque, et Carla se retrouve dans une congère. Quant à moi, je ne vais pas tarder à être renié par mes parents.

— Je te promets que ça va aller, a-t-elle répondu d'une voix douce et mesurée.

— Tu as un don pour ça. Pour me faire croire à l'impossible.

Elle s'est hissée sur la pointe des pieds, m'a saisi par les épaules et a planté ses yeux dans les miens. Son nez était rouge et mouillé par la neige.

— Tu n'aimes pas les pom-pom girls. Tu les trouves carrément nazes. Tu aimes les filles mignonnes, drôles et sensibles dont j'apprécie la compagnie.

J'ai haussé les épaules.

— Ça n'a pas marché, ai-je dit.

— Crotte, a-t-elle répondu en souriant.

Émergeant de son tunnel, JP a secoué la neige de sa combinaison pervenche et a annoncé :

— Tobin, j'ai une mauvaise nouvelle, mais je ne voudrais pas que tu réagisses de façon excessive.

— D'accord, ai-je répondu nerveusement.

— Ce n'est pas facile à annoncer. Mmmm, d'après toi, quel est le nombre idéal de roues pour Carla ?

J'ai fermé les yeux et laissé ma tête partir en arrière. Je sentais la lumière des lampadaires à travers mes paupières closes, la neige sur mes lèvres. JP a poursuivi :

— Pour ma part, ce nombre serait quatre, je crois. Or, dans l'immédiat, seules trois roues sont encore reliées à Carla, et ce nombre n'est pas dénué d'inconvénients. Heureusement, la quatrième roue ne se trouve qu'à faible distance. Malheureusement, je mentirais si je disais que j'excelle dans l'art de rattacher les roues.

J'ai fait glisser mon bonnet sur mon visage. Je m'étais fourré dans une mouise abyssale, et, tout en le réalisant, j'ai, pour la première fois, senti le froid – d'abord au niveau des poignets, à l'endroit où les gants ne se rejoignaient pas parfaitement avec les manches de ma veste, puis du visage et des pieds, car la neige fondue avait déjà mouillé mes chaussettes. Mes parents ne me frapperaient pas, et ils ne me marqueraient pas non plus avec un cintre chauffé à blanc. Ils étaient trop gentils pour se montrer cruels. Et c'était précisément pour cette raison que je me sentais aussi mal : ils ne méritaient pas d'avoir un fils qui cassait leur chère voiture en allant rejoindre quatorze pom-pom girls pour finir la nuit de Noël en leur compagnie.

Quelqu'un a tiré sur mon bonnet. JP.

— J'espère que tu ne vas pas laisser une petite contrariété nous empêcher d'aller à la Waffle House.

Le Duc, qui s'était appuyée contre l'arrière de Carla, a ri. Pas moi.

— Ce n'est pas vraiment le moment de plaisanter, JP, ai-je dit.

Il s'est redressé, comme pour me rappeler qu'il était un peu plus grand que moi, puis a fait deux pas pour se retrouver au milieu de la route, en plein dans la lumière du lampadaire.

— Je ne plaisante pas. Croire à ses rêves, ce n'est pas sérieux ? Surmonter l'adversité pour les réaliser, ce n'est pas sérieux ? Huckleberry Finn n'était-il pas sérieux quand il a descendu le Mississippi sur des centaines de kilomètres en radeau afin de se taper l'équivalent des pom-pom girls de son époque ? Les milliers d'hommes et de femmes qui ont consacré leur vie à la conquête spatiale pour que Neil Armstrong puisse aller draguer des pom-pom girls sur la Lune n'étaient pas sérieux d'après toi ? Bien sûr que si ! Et je suis très sérieux quand je pense que les trois rois mages que nous sommes doivent, en cette nuit miraculeuse, atteindre la Waffle House, guidés par sa lumière jaune !

— Deux rois et une reine, l'a repris calmement le Duc.

— Oh, allez ! s'est écrié JP. J'ai mérité une petite acclamation, non ? Rien ?!

Il criait maintenant pour se faire entendre avec la neige qui étouffait tous les sons. J'avais l'impression que la voix de JP était le seul bruit au monde.

— Vous en voulez plus ? J'en ai encore sous la pédale ! Madame, monsieur, lorsque mes parents ont quitté la Corée avec rien d'autre que les vêtements qu'ils portaient et la fortune considérable qu'ils avaient amassée dans le commerce maritime, ils avaient un rêve. Ils rêvaient qu'un jour, au cœur des cimes enneigées de Caroline du Nord, leur fils perdrait sa virginité avec une pom-pom girl dans les toilettes pour dames d'une Waffle House située sur le bord d'une autoroute. Mes parents ont tout sacrifié à ce rêve ! Et c'est pourquoi nous devons poursuivre notre route, malgré les embûches qui se dressent devant nous ! Pas pour moi ni pour la pauvre pom-pom girl en question, mais pour mes parents, et pour tous les immigrants qui sont venus dans cette formidable nation avec l'espoir que, un jour ou l'autre, leurs enfants auraient ce qui leur avait toujours manqué à eux : une relation sexuelle avec une pom-pom girl.

Le Duc a applaudi. Je riais, mais j'ai secoué la tête. Plus j'y réfléchissais, plus la perspective d'aller traîner avec une bande de pom-pom girls que je ne connaissais même pas et qui ne passeraient qu'une nuit en ville me semblait débile. Je n'avais rien contre l'idée de sortir avec une pom-pom girl, mais pour m'être aventuré sur ce terrain, je pouvais affirmer que ça ne méritait pas d'affronter une tempête de neige. Cela dit, qu'est-ce que j'avais de plus à perdre en continuant ? Ma vie ? J'avais davantage de chances de survivre en parcourant les cinq kilomètres qui me séparaient de la Waffle House que les seize jusque chez moi. J'ai grimpé dans le 4 × 4 pour récupérer des couvertures, puis j'ai vérifié que toutes les portes étaient bien verrouillées. J'ai posé une main sur le pare-chocs de Carla en lui disant :

— On reviendra te chercher.

— Oui, a ajouté le Duc d'une voix rassurante. Nous n'abandonnons jamais un blessé, Carla.

Nous n'avions pas fait plus de trois cents mètres quand le grondement d'un moteur a résonné dans notre dos.

Les jumeaux.

8

❄❄❄

Les jumeaux conduisaient une vieille Ford Mustang cerise débridée – pas vraiment le genre de voiture réputée pour sa maniabilité en cas d'intempéries. J'étais donc persuadé qu'eux non plus ne réussiraient pas à prendre le virage et qu'ils emboutiraient probablement Carla.

Ils ont abordé le tournant à toute bombe – la Mustang projetait de la poudreuse dans son sillage, ses roues arrière chassaient un peu, mais, étonnamment, elle tenait la route. Le minuscule Tommy Reston donnait des coups de volant comme un cinglé : c'était un as de la conduite sur neige, ce petit malade mental.

La différence de masse corporelle entre les frères était telle que la Mustang penchait visiblement sur la gauche, du côté du gigantesque Timmy Reston. Il souriait, et j'apercevais des fossettes profondes au milieu de ses énormes joues potelées. Tommy a pilé à moins de dix mètres de nous, puis il a baissé sa vitre et penché la tête à l'extérieur.

— Z'avez eu un problème de bagnole ? a-t-il demandé.

Je me suis approché.

— Eh ouais ! On a percuté une congère. Je suis content de vous voir, les gars. Est-ce que vous pourriez nous déposer en centre-ville ?

— Bien sûr, grimpez.

Tommy a regardé derrière moi puis il a ajouté, en traînant légèrement sur la dernière syllabe :

— Salut, Angie…

C'est le prénom officiel du Duc.

— Salut, a-t-elle répondu.

Je leur ai fait signe, à JP et à elle, de nous rejoindre. Je me suis approché de la voiture côté conducteur, en me disant qu'il serait impossible de se glisser sur la banquette derrière Timmy. Soudain, Tommy a lancé :

— En fait, j'ai de la place pour deux nazes… (Puis plus fort, pour que JP et le Duc puissent l'entendre :) Mais je n'ai pas de la place pour deux nazes et une pétasse.

Il a enfoncé l'accélérateur, pourtant l'espace d'une seconde, les roues ont tourné dans le vide et la Mustang n'a pas bougé. J'ai tendu la main vers la poignée de la portière, mais, au moment où j'allais la toucher, elle a démarré. J'ai perdu l'équilibre et je suis tombé. La voiture m'a aspergé de neige, j'en ai même recraché. Timmy et Tommy fonçaient sur JP et le Duc maintenant.

Ils se tenaient sur le bord de la route. Au moment où la Mustang les dépassait, JP s'est avancé d'un pas et a décoché un coup de pied dans l'aile arrière. C'était une petite attaque, une attaque de femmelette. Je n'ai même pas entendu le bruit du choc. Et pourtant, JP a dû perturber l'équilibre fragile de la voiture juste ce qu'il fallait : tout à coup, la Mustang s'est mise en travers de la route. Tommy a essayé de reprendre le contrôle, en vain. La Mustang a foncé dans un tas de neige, qui l'a entièrement engloutie. On ne voyait plus que leurs feux stop. J'ai rejoint JP et le Duc.

— La vache ! a dit JP en fixant son pied. Je suis balèze !

Le Duc s'est approchée de la voiture d'un air résolu.

— Il faut les sortir de là, ils risquent de clamser.

— Tant pis pour eux, ai-je rétorqué. Surtout après ce qu'ils viennent de faire... En plus, ils t'ont traitée de pétasse !

Je l'ai vue rougir, malgré la coloration que le froid avait donnée à ses joues. J'ai toujours détesté ce mot, et ça me mettait particulièrement en rogne que le Duc en soit la cible, parce que, même si on ne pouvait rien dire de plus faux à son sujet, elle n'en était pas moins gênée, et elle savait que nous savions qu'elle était gênée, et... bref. Ça me collait les nerfs. Mais je ne voulais pas en rajouter en m'étendant sur la question. Elle s'est reprise presque aussitôt.

— Ah ouais, a-t-elle dit en levant les yeux au ciel. Tommy Reston me traite de pétasse. Bouhouhou. Je me sens blessée dans ma féminité... Non, mais franchement. Je suis presque heureuse que quelqu'un me considère enfin comme un être sexué.

Je l'ai dévisagée avec étonnement tout en m'approchant de la Mustang, puis j'ai fini par lâcher :

— Ne le prends pas mal, mais je n'ai aucune envie de me représenter quelqu'un qui se tape Billy Talos comme un être sexué.

Elle m'a fusillé du regard. Très sérieuse, elle m'a lancé :

— Tu veux bien la fermer avec Billy Talos ? Il ne me plaît même pas.

Je ne comprenais pas pourquoi ce sujet la contrariait autant, surtout avec la soirée qu'on passait… Et puis on avait l'habitude de s'asticoter.

— Quoi ? ai-je rétorqué, sur la défensive.

— Laisse tomber. Aide-moi juste à sauver ces attardés mentaux misogynes d'un empoisonnement au monoxyde de carbone.

Ma main à couper que c'est ce que nous aurions fait. Si ça s'était révélé nécessaire, nous aurions passé des heures à dégager les frères Reston. Mais cela n'a pas été le cas, parce que Timmy Reston, l'homme le plus fort de la planète, a réussi à ouvrir tout seul sa portière coincée par plusieurs tonnes de neige. Il s'est redressé de toute sa hauteur – seules sa tête et ses épaules dépassaient de la congère –, et il a hurlé :

— Ça. Va. Saigner.

J'ignorais si sa menace s'adressait uniquement à JP, qui avait déjà pris ses jambes à son cou, ou si elle nous visait tous les trois. Par mesure de précaution, j'ai détalé en entraînant le Duc. Je suis resté derrière elle, parce que je ne voulais pas qu'elle tombe sans que je m'en rende compte. En me retournant pour évaluer notre avance, j'ai constaté que les épaules et la tête de Timmy Reston se frayaient un chemin à travers le mur de neige. J'ai vu la bobine de Tommy surgir à l'endroit où Timmy avait créé une brèche ; il criait un flot de paroles inaudibles, mais je comprenais l'essentiel : il était dans une colère noire.

— Viens, Duc, l'ai-je encouragée.

— Je… j'essaie, a-t-elle répondu, essoufflée.

Les cris se rapprochaient dangereusement : les jumeaux s'étaient entièrement libérés de la congère et couraient dans notre direction, gagnant du terrain sur nous à chaque enjambée. Il y avait trop de neige sur les bas-côtés pour prendre la tangente, mais si on continuait sur la route, les jumeaux nous rattraperaient, et ce serait notre fête.

J'ai entendu dire qu'il était possible, quand on traverse une crise, d'avoir une poussée d'adrénaline et d'être doté, très momentanément, d'une force surhumaine. Ça pourrait expliquer comment j'ai réussi à jeter le Duc sur mon épaule droite et à faire un sprint digne d'un coureur olympique en dépit de la neige glissante.

Je l'ai portée pendant plusieurs minutes avant de commencer à sentir la fatigue. Elle surveillait nos arrières :

— Continue ! Continue, tu es plus rapide qu'eux ! Plus rapide, plus rapide…

Et même si je reconnaissais le ton rassurant qu'elle s'était forcée à employer avec Carla, sur la côte, ça m'était égal, parce que ça marchait. Je fonçais tout en la serrant sur mon épaule, le bras enroulé autour de sa taille. Quand nous avons atteint un petit pont enjambant une rue à deux voies, j'ai aperçu JP à plat ventre, sur l'un des côtés. Croyant qu'il avait glissé, j'ai ralenti, mais il m'a crié :

— Non, non, ne vous arrêtez pas !

J'ai obéi. Ma respiration était de plus en plus difficile maintenant que le poids du Duc pesait sur mon épaule.

— Est-ce que je peux te poser ? lui ai-je demandé.

— Oui, je commence à avoir mal au cœur de toute façon.

Je l'ai laissée descendre avant de lui dire :

— Vas-y.

Elle est partie sans m'attendre. Je me suis penché en avant, les mains posées sur les genoux. JP courait dans ma direction. Au loin, j'apercevais les jumeaux – enfin, Timmy plutôt, et j'ai conclu que Tommy se cachait derrière la masse imposante de son frère. Je savais que la situation était désespérée maintenant : ils nous rattraperaient forcément. Nous devions quand même nous battre. J'ai pris plusieurs inspirations rapides – je m'apprêtais à démarrer au moment où JP me rejoindrait –, mais il m'a attrapé par le manteau.

— Non. Non, regarde.

Nous sommes restés plantés là, l'air humide me brûlait les poumons. Timmy fondait sur nous, son épais visage déformé par une grimace. Soudain, sans aucun avertissement, il est tombé tête la première dans la neige, comme si on lui avait tiré dans le dos. Il a à peine eu le temps de tendre les mains devant lui pour amortir la chute. Tommy a trébuché sur son frère et s'est étalé à son tour.

— Qu'est-ce que tu as fabriqué ? ai-je demandé à JP alors que nous rejoignions le Duc.

— J'ai tendu du fil dentaire entre les deux extrémités du pont. Je l'ai relevé juste après votre passage.

— C'est trop cool.

— Sauf que je l'ai terminé et que mes gencives m'en veulent déjà, a-t-il grommelé.

Nous avons continué au petit trot, mais je n'entendais plus les jumeaux et, quand j'ai jeté un coup d'œil en arrière, je n'ai vu que la neige qui tombait imperturbablement.

On a retrouvé le Duc entre les immeubles en briques du centre-ville. Nous avons quitté Sunrise pour nous engager dans Main Street, qui venait d'être déneigée. On continuait à trottiner, même si je ne sentais presque plus mes pieds à cause du froid et de la fatigue. Les jumeaux ne s'étaient toujours pas manifestés, mais on n'était pas complètement rassurés pour autant. Plus qu'un kilomètre et demi à parcourir. On pourrait y être en vingt minutes à ce rythme.

— Appelle Deun… a suggéré le Duc. Histoire de savoir si ces types de la fac nous ont déjà battus.

Sans ralentir, j'ai sorti mon portable de la poche de mon jean. Quelqu'un – pas Deun – a décroché à la première sonnerie.

— Deun est là ?

— Tobin ?

J'identifiais seulement maintenant la voix : Billy Talos.

— Ouais. Salut, Billy.

— Angie est avec vous ?

— Euh, ouais.

— Vous êtes près ?

J'ai réfléchi avant de répondre, ignorant s'il allait se servir de cette info pour aider ses potes.

— Raisonnablement, ai-je dit.

— D'accord, je te passe Deun.

— Comment ça se passe ? a crié celui-ci. Où êtes-vous ? Mec, je crois que Billy est amoureux. À cet instant précis, il est avec Madison. Avec une des Madison. Parce qu'il y en a plusieurs. Le monde déborde de Madison !

J'ai coulé un regard en direction du Duc pour voir si elle avait entendu quoi que ce soit, mais elle avait les yeux rivés sur la route devant elle. J'avais cru que Billy me questionnait à son sujet parce qu'il avait envie de la voir, pas parce qu'il craignait qu'elle le surprenne en train de draguer une autre fille. Il était naze.

— TOBIN ! a hurlé Deun dans mon oreille.

— Ouais, qu'est-ce qu'il y a ?

— Euh… c'est toi qui as appelé, a-t-il remarqué judicieusement.

— C'est vrai, ouais. On approche. On est à l'angle de Main et de la Troisième. On devrait arriver d'ici une demi-heure.

— Parfait, je crois que vous êtes toujours en tête. Les mecs de la fac sont coincés sur le bord d'une route, quelque part.

— Super. D'accord, je te rappelle quand on est près du but.

— Géant ! Ah et… les amis, vous avez bien le Twister ?

Mes yeux sont passés de JP au Duc. J'ai couvert le combiné de la main et je leur ai demandé :

— On a pris le Twister ?

JP s'est immédiatement arrêté, le Duc l'a imité.

— Purée, on l'a laissé dans la caisse, a-t-il lâché.

— Deun, désolé, mec, mais on l'a oublié dans la voiture.

— C'est très mauvais, a-t-il dit avec un soupçon de menace dans la voix.

— Je sais, ça craint. Désolé.

— Je te recontacte, a-t-il conclu.

Puis il a raccroché.

Une minute s'est écoulée avant que le téléphone sonne.

— Écoute, a annoncé Deun, on a organisé un vote, et malheureusement vous devez retourner récupérer le Twister. La majorité a décidé qu'on n'entre pas sans lui.

— Quoi ? Qui a voté ?

— Billy, Mitchell et moi.

— Allez, Deun. Fais pression, mec ! Carla est à vingt minutes de marche avec le vent de face. En plus, les jumeaux Reston traînent dans le coin. Forces-en un à changer son vote !

— Malheureusement, vous avez perdu trois à zéro.

— Quoi ? Tu as voté contre nous, Deun ?

— Je n'envisage pas les choses de la sorte. C'est plutôt un vote en faveur du Twister.

— Tu plaisantes, là ?

Le Duc et JP ne pouvaient pas entendre Deun, mais ils m'observaient avec nervosité.

— Je ne plaisante jamais avec le Twister, a rétorqué Deun. Vous pouvez encore arriver les premiers ! Dépêchez-vous !

J'ai rabattu le clapet de mon téléphone et enfoncé mon bonnet sur mon visage.

— Deun ne nous laissera pas entrer sans le Twister, ai-je grommelé.

Je me suis mis à l'abri de l'auvent d'un café pour chasser la neige de mes Puma. JP faisait les cent pas. Nous sommes restés silencieux un bon moment. Je continuais à guetter les jumeaux Reston, mais ils ne pointaient pas le bout de leur nez.

— On doit entrer dans la Waffle House, a dit JP.

— Ouais, bien sûr, ai-je répondu.

— On retourne à la voiture. On prend une autre route pour ne pas tomber sur les jumeaux Reston, on récupère ce foutu Twister, et on file au restau. On n'en aura pas pour plus d'une heure en se dépêchant.

Je me suis tourné vers le Duc, qui m'avait rejoint sous l'auvent. Je comptais sur elle pour le dire à JP. Pour lui dire qu'on devait abandonner, qu'on devait appeler les secours et demander à être raccompagnés à la maison.

— J'ai envie de gaufres. De gaufres dorées et recouvertes d'une couche de sucre glace. De gaufres croustillantes et fondantes à la fois.

— C'est Billy Talos dont tu as envie, ai-je rétorqué.

Elle m'a décoché un coup de coude dans les flancs.

— Je t'ai dit de la fermer à ce sujet, mince ! Et ce n'est pas vrai. J'ai envie de gaufres. Un point, c'est tout. J'ai une faim de loup, une faim que seules des gaufres pourront apaiser. Voilà pourquoi on va y retourner et rapporter ce Twister.

Elle s'est mise en route, JP l'a suivie. Je suis resté sous l'auvent un moment, mais j'en ai rapidement conclu qu'il valait mieux être de mauvais poil en compagnie de ses amis que tout seul. Lorsque je les ai rattrapés, nous avancions tous tête baissée pour résister aux assauts du vent qui s'engouffrait dans la rue parallèle à Sunrise. On était obligés de hurler.

— Je suis heureuse que tu sois là, m'a crié le Duc.

— Merci, ai-je hurlé.

— Franchement, les gaufres n'ont pas le même goût sans toi.

J'ai ri et souligné que « Les gaufres n'ont pas le même goût sans toi » ferait un super nom de groupe de musique.

— Ou de titre de chanson, a poursuivi le Duc.

Elle a aussitôt imité une chanteuse de rock en tenant un micro imaginaire devant sa bouche :

— J'suis tombée toute cuite dans tes bras / Et maintenant, je pleure à cause de toi / Ouh, c'était un repas pour toi et moi / Et ces gaufres n'ont pas le même goût, oh, non ! / Elles n'ont pas le même goût, yeah… / Ces GAUFRES N'ONT PAS LE MÊME GOÛT sans toi.

9

❄❄❄

Le Duc et JP ont remonté la rue à un rythme d'enfer – ils ne couraient peut-être pas, mais ils marchaient sacrément vite. Quant à moi, j'avais les pieds gelés, et j'étais fatigué d'avoir porté le Duc, alors je traînais un peu. Nous prenions le vent de face, si bien que leur conversation me parvenait – alors qu'eux ne pouvaient pas m'entendre.

Le Duc expliquait (pour changer) qu'il ne fallait pas considérer les pom-pom girls comme des sportives.

— Je ne veux plus rien entendre de négatif au sujet des pom-pom girls, a rétorqué JP en pointant un index dans sa direction et en secouant fermement la tête. Si elles n'existaient pas, comment saurait-on à quel moment se réjouir pendant les rencontres sportives ? Si elles n'existaient pas, les plus jolies filles du pays ne pratiqueraient pas d'activité physique, pourtant nécessaire à toute vie saine.

J'ai pressé le pas pour ajouter :

— Si elles n'existaient pas, qu'adviendrait-il de l'industrie de la minijupe en polyester ?

Remuer les lèvres rendait l'effort moins pénible, la brûlure du vent moins mordante.

— Exactement, a renchéri JP en s'essuyant le nez sur la manche de la combinaison qu'il avait piquée à mon père. Sans parler de l'industrie du pompon. Est-ce que tu as seulement réfléchi au nombre de personnes qui, dans le monde, travaillent à fabriquer, distribuer et vendre des pompons ?

— Une vingtaine ? a proposé le Duc.

— Des milliers, tu veux dire ! a rétorqué JP. Le monde doit contenir des millions de pompons attachés aux poignets de millions de pom-pom girls ! Et c'est peut-être mal de rêver que ces millions de filles frottent ces millions de pompons sur mon torse nu, mais, tant pis, j'assume, Duc. J'assume.

— T'es taré, a-t-elle répliqué, mais pas dépourvu de génie.

J'ai ralenti et ils m'ont distancé ; de toute façon, je n'étais ni taré ni génial. J'adorais quand JP faisait de l'esprit : le Duc marchait toujours. Il nous a fallu quinze minutes pour rejoindre Carla par une route détournée. Je suis monté par le coffre pour récupérer le Twister, puis nous avons enjambé une clôture afin de couper à travers un jardin et de filer directement vers l'autoroute. Les jumeaux avaient dû rester sur la même route. C'était le chemin le plus rapide, mais nous étions d'accord sur ce point : aucun d'entre nous n'avait vu de Twister dans les mains de Timmy ou de Tommy, ça n'avait donc pas d'importance s'ils nous battaient.

Nous avons avancé en silence le long de maisons en bois sombre. Je tenais le Twister au-dessus de ma tête pour me protéger des flocons. La neige s'était accumulée jusqu'aux poignées de porte d'un côté de la rue. C'était incroyable comme ça pouvait changer la physionomie d'un endroit. Je n'avais jamais vécu ailleurs qu'ici. J'étais passé devant ce pâté de maisons, à pied ou en voiture, un millier de fois. Je me souvenais du jour où, tous les arbres étant tombés malades, on en avait replanté de nouveaux. Par-delà les clôtures, j'apercevais Main Street, que je connaissais encore mieux : les galeries exposant les œuvres d'artistes locaux, les étals proposant des chaussures de marche comme celles que je regrettais de ne pas porter à cet instant précis.

Pourtant, ça n'avait plus rien de familier sous ce manteau d'un blanc si pur qu'il en était presque inquiétant. Il n'y avait plus ni rues, ni trottoirs, ni bouches d'incendie. Rien que du blanc, partout, comme si la ville était enveloppée dans un papier cadeau irisé. Il n'y avait pas que son aspect qui était différent ; ses odeurs aussi avaient changé, l'air était désormais chargé de l'acidité froide et mouillée des flocons. Sans parler du silence sinistre, brisé seulement par le crissement de nos pas. Je n'entendais plus ce que disaient le Duc et JP à quelques mètres devant moi, j'étais perdu dans un monde inconnu.

J'aurais pu m'imaginer que nous étions les seules personnes encore éveillées dans toute la Caroline du Nord si je n'avais pas aperçu les lumières éclatantes de l'épicerie *Le Duc et la Duchesse* quand nous avons quitté la Troisième Rue pour nous engager dans Maple.

Si le Duc a hérité de ce surnom, c'est à cause d'une de nos virées dans cette épicerie, en quatrième. Ce magasin a une spécificité : au lieu de vous donner du « monsieur » ou du « madame », ou même du « eh, vous, là-bas », ses employés sont censés dire aux clients « duc » ou « duchesse ». La puberté du Duc a été plutôt tardive, et, au collège, pour ne rien arranger, elle était toujours en jean et en casquette de baseball. Ce qui devait arriver a donc fini par arriver : un jour, on est venus acheter des bonbons – ceux qui avaient notre préférence, cette semaine-là –, et, au moment de payer, le type derrière le comptoir a lancé au Duc : « Merci, duc. »

C'est resté. Un jour, je crois que c'était en troisième, à l'heure du déjeuner, JP, Deun et moi, on a proposé de l'appeler Angie, mais elle nous a rétorqué qu'elle détestait ce prénom de toute façon. On a donc gardé « Duc ». Ça lui allait bien. Elle avait de bonnes manières, une autorité naturelle et, même si elle ne ressemblait plus du tout à un garçon manqué, elle continuait à agir comme si elle en était un.

Alors qu'on remontait Maple, JP a ralenti pour me permettre de le rejoindre.

— Qu'est-ce qui se passe ? lui ai-je demandé.

— Ça va ? m'a-t-il répondu en me prenant le Twister des mains pour le caler sous son bras.

— Ouais, pourquoi ?

— Parce que tu marches comme si… je ne sais pas… comme si tu n'avais plus de chevilles ou de genoux.

En baissant les yeux, j'ai constaté que ma démarche était effectivement très étrange. J'avais les jambes très écartées et je les pliais à peine. On aurait dit un cowboy descendant tout juste de cheval après une longue chevauchée.

— Mmmm… Je crois que j'ai très froid aux pieds.

— ARRÊT D'URGENCE ! a hurlé JP. On a un risque de gelure ici !

J'ai secoué la tête ; j'allais bien, franchement, mais le Duc a lancé :

— On va au *D et D* !

Ils sont partis en trottinant, alors que je me dandinais. Ils sont arrivés bien avant moi et quand je suis entré dans l'épicerie, le Duc était déjà au comptoir, où elle payait une boîte de quatre paires de chaussettes en coton blanc.

Nous n'étions pas les seuls clients. En m'installant dans un des box du minuscule café de l'épicerie, j'ai aperçu, au fond, devant un bol fumant, Monsieur Alu.

10

❄❄❄

— Ça boume ? a demandé JP à Monsieur Alu pendant que je retirais mes chaussures imbibées d'eau.

C'est un peu difficile de décrire Monsieur Alu. Il a l'air d'un vieux ronchon classique, sauf qu'il ne sort jamais de chez lui sans s'être enveloppé d'aluminium de la tête aux pieds. J'ai retiré mes chaussettes, elles avaient presque gelé. Mes pieds étaient bleu pâle. JP m'a tendu une serviette en papier pour les frictionner.

— Comment cette nuit vous réussit-elle, à tous les trois ?

Monsieur Alu parlait toujours d'une voix de tueur psychopathe. Pourtant, de l'opinion générale, il était inoffensif. La question s'adressait à nous tous, mais c'était moi qu'il regardait.

— Voyons voir, ai-je répondu. Notre voiture a perdu une roue et je ne sens plus mes pieds.

— Tu m'as l'air très seul, a-t-il observé. Un héros solitaire en proie aux éléments déchaînés.

— Ouais, si vous voulez. Et vous, comment ça va ? ai-je demandé pour être poli.

Pourquoi lui as-tu posé une question ? me suis-je aussitôt repenti, en maudissant ma bonne éducation.

— Je déguste une soupe revigorante. J'aime toujours manger une bonne soupe. Ensuite, j'irai, je crois, me promener.

— Vous n'avez pas froid avec l'aluminium ?

Pourquoi est-ce que je ne m'arrêtais pas de poser des questions ?!

— Quel aluminium ?

— Mmmm…

Le Duc m'a apporté les chaussettes. J'en ai enfilé une paire, puis une deuxième, et une troisième. J'ai gardé la quatrième pour plus tard, au cas où. J'ai eu du mal à remettre mes Puma, mais j'ai eu l'impression d'avoir des pieds tout neufs en me levant pour repartir.

— C'est toujours un plaisir de te voir, m'a dit Monsieur Alu.

— Ouais… Joyeux Noël.

— Puissent les cochons du destin te ramener sain et sauf dans tes pénates, a-t-il répondu.

C'est ça. J'éprouvais une compassion infinie pour l'employée derrière le comptoir, qui se retrouvait coincée avec lui. Au moment où je me dirigeais vers la sortie, elle m'a justement interpellé :

— Duc ?

— Oui ? ai-je dit en me retournant.

— Je n'ai pas pu m'empêcher d'entendre votre conversation. Au sujet de la voiture.

— Ouais, ça craint.

— On peut la dégager si tu veux, on a une dépanneuse.

— Vraiment ?

— Oui, tu as un papier pour que je t'écrive les coordonnées ?

En fouillant dans les poches de mon manteau, j'ai dégoté un vieux ticket de caisse. Elle a noté son numéro de téléphone et son nom, Rachel, d'une écriture ronde.

— Merci beaucoup, Rachel.

— De rien. Ça coûte cent cinquante dollars de forfait plus cinq dollars par kilomètre. Entre le jour férié, le mauvais temps…

J'ai acquiescé en grimaçant. Une dépanneuse, même hors de prix, valait toujours mieux que rien du tout.

Nous avions à peine repris la route – avec la sensation retrouvée de mes orteils pour ma part –, quand JP est venu me glisser à l'oreille :

— Si tu veux savoir, quand je vois que Monsieur Alu est toujours là à genre quarante ans, j'ai bon espoir d'avoir une vie adulte raisonnablement accomplie.

— Ouais.

Le Duc marchait devant nous en mâchant des chips.

— Mec ! s'est écrié JP. Tu es en train de mater le cul du Duc !

— Quoi ? Mais non !

Ce n'est qu'en donnant cette réponse mensongère que j'ai réalisé que j'étais bel et bien en train de la mater – même si mon regard ne se concentrait pas spécifiquement sur ses fesses. Elle s'est retournée.

— De quoi vous parlez ?

— De ton cul ! a hurlé JP.

Elle a éclaté de rire.

— Je sais que tu en rêves, quand tu es seul dans ton lit, JP.

Elle a ralenti l'allure, et nous l'avons rattrapée.

— Je vais être franc, Duc, a-t-il dit en passant un bras autour de ses épaules. J'espère que tu ne le prendras pas mal, mais s'il m'arrive un jour de faire un rêve érotique à ton sujet, je serai contraint de traquer mon inconscient, de l'extraire de mon corps et de le tabasser à mort.

Elle lui a rabattu le caquet avec son aplomb habituel.

— Je ne le prends pas du tout mal. C'est moi qui le ferai, sinon.

Puis elle s'est tournée pour voir si je riais, ce qui était le cas.

On longeait Governor's Park, qui abrite le plus grand terrain de jeu de la ville, lorsque j'ai entendu, au loin, le bruit d'un moteur puissant. Une seconde, je me suis imaginé qu'il s'agissait des jumeaux, mais, en faisant volte-face, j'ai constaté que la voiture avait des phares sur le toit.

— Les flics, ai-je annoncé en filant dans le parc.

JP et le Duc m'ont aussitôt emboîté le pas. On s'est cachés derrière une congère, ou plutôt en partie seulement, parce qu'on s'enfonçait dedans. La voiture de police est passée au ralenti en balayant le parc de son projecteur. Ce n'est qu'en la voyant disparaître que j'ai réalisé :

— Ils auraient pu nous emmener.

— En prison, tu veux dire, a rétorqué JP.

— Je ne vois pas pourquoi, on n'a rien fait de mal.

JP a ruminé mes paroles un moment. Se promener dans les rues à deux heures et demie du matin la nuit de Noël pouvait paraître bizarre, ça ne l'était pas nécessairement pour autant.

— Espèce de trouduc, a répliqué JP.

J'ai fait la première chose qui me passait par la tête : j'ai fait quelques enjambées dans la neige, qui m'arrivait au genou, puis je me suis laissé tomber en arrière, les bras écartés, sachant que ma chute serait amortie. Je suis resté allongé un petit moment avant de bouger les bras pour dessiner un ange dans la neige. Le Duc s'est affalée à plat ventre.

— Un ange avec des seins ! s'est-elle écriée.

JP a pris son élan avant de sauter : il a atterri sur le flanc, le Twister serré dans ses bras. Il s'est redressé prudemment pour admirer le résultat.

— Contour d'un cadavre.

— Qu'est-il arrivé à la victime ? ai-je demandé.

— Quelqu'un a essayé de lui prendre son Twister, et il l'a défendu en héros, a-t-il expliqué.

Je me suis relevé pour fabriquer un autre ange, mais, cette fois, je me suis servi de mes gants pour le doter de cornes.

— Un ange diabolique ! a remarqué le Duc en éclatant de rire.

Avec toute cette neige, j'avais l'impression d'être un gamin dans un parc d'attractions. Je pouvais faire ce que je voulais sans risquer de me blesser. Le Duc a couru vers moi, une épaule en avant, tête baissée, et elle m'a heurté à la poitrine. Nous sommes tombés et, avec l'élan, j'ai roulé sur elle. Son visage s'est retrouvé si près du mien qu'on voyait la buée de nos deux souffles se mêler dans l'air. J'ai senti son corps sous le mien et mon cœur a fait un bond quand elle m'a souri. Je suis resté sans bouger, une fraction de seconde, puis elle m'a repoussé pour se lever. Elle a chassé la neige de son anorak, puis on a rejoint la route. J'étais plus trempé et frigorifié que je ne l'avais été depuis le début de la soirée, mais nous n'étions plus qu'à un kilomètre et demi de l'autoroute, et ensuite la Waffle House était à un saut de puce.

Le Duc m'a entrepris sur les gelures et la nécessité d'être prudent, je lui ai rétorqué que j'étais prêt à tout pour qu'elle rejoigne son amoureux aux cheveux gras, elle m'a donné des coups de pied dans les mollets, et JP nous a traités de trouducs. Au bout d'un moment, la route, envahie par la neige, est devenue moins praticable. JP s'est mis à marcher dans la trace laissée par les pneus droits de la voiture de police, moi dans celle des pneus gauches. Le Duc avait pris une longueur d'avance sur nous.

— Tobin… a-t-il lancé de but en blanc.

En tournant la tête dans sa direction, j'ai vu qu'il s'était frayé un chemin dans la neige épaisse et se trouvait juste à côté de moi.

— Ce n'est pas que ça me fasse particulièrement plaisir, mais je crois que tu en pinces pour le Duc.

11

❄❄❄

Elle marchait juste devant nous, la capuche rabattue sur sa tête baissée. Il y a quelque chose dans la démarche des filles – surtout quand elles ne portent pas des chaussures à talons, mais de simples baskets par exemple –, quelque chose dans la façon qu'ont leurs jambes de s'articuler par rapport à leurs hanches. En tout cas, il y avait quelque chose dans la démarche du Duc, et je me dégoûtais un peu d'y penser. Mes cousines ont sans doute, elles aussi, une démarche de filles. Ce que j'essaie d'expliquer, c'est que parfois on la remarque, et parfois pas. Lorsque Brittany marche, on ne peut pas passer à côté. Quand le Duc marche, si. Normalement.

J'ai pris tellement de temps pour détailler le Duc, ses jambes, ses boucles humides qui tombaient en cascade dans son dos, ses bras un peu raides à cause de son anorak épais, et tout le reste, que ma réponse a tardé à sortir.

— Espèce de trouduc, ai-je fini par lâcher.

— Il t'a fallu très longtemps pour trouver cette réplique incroyablement spirituelle.

— Je n'ai aucun sentiment pour le Duc, en tout cas pas ceux auxquels tu penses. Je te le dirais si c'était le cas, mais ça reviendrait à tomber amoureux de sa cousine.

— C'est marrant que tu en parles, parce que j'ai une cousine canon, justement.

— C'est répugnant.

— Duc ! l'a interpellée JP. Qu'est-ce que tu me racontais l'autre jour au sujet des relations entre cousins ? Que ça ne posait aucun problème, c'est bien ça ?

Elle s'est retournée vers nous en continuant à avancer, dos au vent. La neige tourbillonnait autour d'elle.

— Non, ça ne pose pas aucun problème. Ça augmente même légèrement le risque de déficiences à la naissance. Mais j'ai lu dans un livre d'histoire qu'il y avait genre 99,99 % de chances qu'au moins un de nos arrière-arrière-arrière-grands-parents ait épousé un cousin au premier degré.

— Tu veux donc dire qu'il n'y a aucun mal à sortir avec son cousin ou sa cousine ?

Le Duc s'est arrêtée pour se retrouver à notre hauteur. Elle a poussé un lourd soupir.

— Ce n'est absolument pas ce que je veux dire. D'ailleurs, j'en ai un peu marre de parler de flirts entre cousins et de pom-pom girls canons.

— Tu préfères parler de quoi ? Du temps ? On dirait qu'il neige, a rétorqué JP.

— Pour être honnête, oui, je préférerais qu'on discute de la météo.

— Tu sais, Duc, suis-je intervenu, il y a toujours les joueurs de foot. Tu pourrais sortir avec l'un d'eux.

Elle m'a littéralement hurlé dessus, le visage déformé par une grimace :

— Et toi, tu sais quoi ? Vous me dégoûtez ! Je n'ai aucune envie de me transformer en parangon de féminisme, mais quand vous passez une nuit entière à parler de vous taper des filles parce qu'elles portent des minijupes et parce qu'elles sont trop canons, ou je ne sais quoi, c'est affreusement sexiste, d'accord ? Vos fantasmes vestimentaires sont sexistes ! Et vous vous imaginez vraiment qu'elles meurent d'envie de sortir avec vous ? Je comprends que vous soyez titillés par un besoin permanent de frotter votre chair contre de la chair féminine, mais vous ne pourriez pas essayer de vous tenir un peu devant moi ?!

J'ai baissé les yeux, je me sentais aussi coupable que si on m'avait surpris en train de tricher pendant un contrôle. J'aurais voulu répondre que ça m'était complètement égal qu'on arrive à la Waffle House ou non, mais je me suis tu. On s'est mis à marcher en ligne. Je gardais la tête courbée, en espérant que le vent, qui soufflait dans notre dos maintenant, nous pousserait.

— Je suis désolée, a dit le Duc à JP.

— Nan, c'est notre faute, a-t-il répondu sans la regarder. Je suis un vrai trouduc. Il faut juste que… Je ne sais pas, parfois, c'est difficile de se le rappeler.

— Ouais, je devrais peut-être vous mettre mes seins sous le nez plus souvent.

Elle l'avait dit très fort, pour que je l'entende aussi. La discussion risquait toujours de tourner à l'aigre avec elle : tout allait bien, très bien même, très, très bien, et puis, tout à coup, le malaise s'installait. Tout à coup, elle se rendait compte qu'on la regardait et elle arrêtait de jouer le jeu, de plaisanter, parce qu'elle avait peur de passer pour une allumeuse, parce qu'elle n'avait pas envie qu'on se fasse des idées. J'avais toujours pensé qu'on courait à la catastrophe en abattant le mur qui sépare une relation amicale d'une relation amoureuse. Au début, c'était super – oh, regarde, il n'y a plus de mur, je vais pouvoir te considérer comme une fille, et réciproquement, on va pouvoir se toucher là, et là, et là... C'était même tellement super, parfois, qu'on se convainquait que ça pouvait durer pour toujours.

Mais ça ne durait jamais. Jamais. Ça n'avait pas duré avec Brittany. Et on n'était même pas vraiment amis. Pas comme avec le Duc en tout cas. Le Duc était ma meilleure amie. Si je devais choisir la personne que j'emmènerais sur une île déserte, ce serait le Duc. Le CD ? La compilation intitulée *La Terre est bleue comme une orange*, qu'elle m'avait offerte au dernier Noël. Le livre ? *La Voleuse de livres*, qu'elle m'avait conseillé – je n'avais jamais réussi à finir un livre aussi long. Je ne voulais pas risquer mon amitié avec elle pour un hypothétique moment de bonheur.

Seulement voilà (et c'est un de mes principaux griefs contre la conscience humaine) : une fois qu'on a pensé à quelque chose, il est extrêmement difficile de l'oublier. Et j'y avais pensé.

On se plaignait du froid. Le Duc n'arrêtait pas de renifler, et on n'avait pas de mouchoirs. JP, bien décidé à éviter le sujet qui fâchait, parlait de gaufres. Enfin, en quelque sorte, parce que personne n'était dupe de sa ruse : « ce que je préfère dans les gaufres de la Waffle House, ce sont leurs minijupes » ; « elles sont toujours de bonne humeur, et ça déteint sur moi ». On aurait dit que, tant que c'était JP qui déblatérait sur les pom-pom girls, le Duc n'y voyait pas d'inconvénient. Elle se contentait de rire et de répondre très sérieusement :

— Elles vont être brûlantes, croustillantes, savoureuses... Je vais en commander quatre. Avec un chocolat chaud. Parce que j'adore ça. Mmmm, ça va être la fête des calories.

Le pont autoroutier apparaissait au loin, la neige s'était accumulée contre ses piliers. La Waffle House était encore à un petit kilomètre, mais on approchait vraiment du but maintenant : une nourriture réconfortante, le sourire espiègle de Deun et des filles avec qui on peut tout oublier.

Après quelques pas supplémentaires, j'ai aperçu la lumière à travers l'épais rideau de neige. Pas immédiatement l'enseigne elle-même, mais la lueur qu'elle projetait. Puis, enfin, l'énorme néon, qui écrasait le minuscule bâtiment abritant le restaurant. Les lettres noires dans leurs cartouches jaunes étaient synonymes de chaleur et de festin. Je me suis laissé tomber à genoux au milieu de la rue et j'ai hurlé :

— Ce n'est ni d'un château ni d'une demeure, mais d'une Waffle House que viendra notre salut !

Le Duc a éclaté de rire et m'a soulevé par les aisselles. Son bonnet, recouvert d'une couche de givre, descendait bas sur son front. Je l'ai regardée, et elle m'a regardé. Nous sommes restés immobiles. Ses yeux étaient incroyables. Pas au sens usuel du terme : ils n'étaient ni d'un bleu exceptionnel, ni d'une taille démesurée, ni dotés de cils d'une longueur indécente. Non, ce qui me fascinait, c'était la complexité de leur couleur – elle disait toujours que ça ressemblait au fond d'une poubelle, un mélange de vert, de marron et de jaune. Elle se sous-estimait. Comme toujours.

Purée, c'était vraiment difficile de se concentrer sur autre chose.

J'aurais pu me perdre indéfiniment dans ses yeux, et leur regard interrogateur, si je n'avais été tiré de ma contemplation par un bruit de moteur au loin. En me retournant, j'ai découvert une Ford Mustang rouge, qui prenait un virage à une vitesse impressionnante. J'ai attrapé le Duc par le bras et nous avons couru vers le bas-côté. JP avait pris pas mal d'avance sur nous.

— JP ! Les jumeaux ! lui ai-je hurlé.

12

JP a aussitôt pilé. Son corps s'est figé un instant, le temps d'appréhender la voiture. Puis il est reparti à toute vitesse. Il allait tenter d'atteindre la Waffle House. La Mustang des jumeaux nous a dépassés, le Duc et moi, en rugissant. Le petit Tommy Reston s'est penché par la vitre baissée en brandissant un Twister et en nous lançant :

— On vous tuera plus tard.

Pour l'heure, ils allaient se contenter de JP. Je lui ai crié :

— Cours, JP ! Cours !

Je savais qu'il ne m'entendait pas avec les mugissements du moteur, mais je m'époumonais malgré tout. J'ai lâché un dernier cri désespéré, qui s'est perdu dans la nuit blanche. Le Duc et moi en étions réduits aux rôles de simples témoins.

JP avait pris une courte avance qui s'est rapidement dissipée – il allait très vite, mais il n'avait pas la moindre chance face à une Ford Mustang, qui était, de surcroît, entre les mains d'un excellent conducteur.

— J'avais vraiment envie de ces gaufres, a lâché le Duc d'un air chagrin.

— Ouais, je sais…

La Mustang avait rattrapé JP, mais celui-ci refusait de s'arrêter ou de quitter la route. Timmy a klaxonné tout en faisant des appels de phares, mais JP continuait de courir. Je comprenais seulement maintenant sa stratégie de fou furieux : il avait constaté qu'avec les blocs de neige sur les bas-côtés la route ne permettait pas à la voiture de le doubler et il avait conclu que les jumeaux renonceraient à l'écraser. Il me semblait qu'il misait bien inconsciemment sur la bienveillance des frères Reston, mais, pour le moment en tout cas, ça marchait. Le klaxon se déchaînait, en vain.

Une vague forme est entrée dans mon champ de vision. Levant le nez vers l'autoroute en surplomb, j'ai distingué deux baraques qui se dirigeaient vers la bretelle de sortie, avec une barrique qui semblait particulièrement lourde. La bière. Les types de la fac. Je les ai montrés au Duc, qui a écarquillé les yeux.

— Raccourci ! a-t-elle hurlé en détalant vers l'autoroute.

Je ne l'avais jamais vue courir aussi vite. J'ignorais quelle idée elle avait derrière la tête, mais elle en avait une, je l'ai donc suivie. On a grimpé sur la bretelle – les congères étaient si tassées qu'on pouvait facilement prendre appui dessus. Au moment d'enjamber le rail de sécurité, j'ai vérifié : JP tenait bon. La Mustang s'était arrêtée pourtant ; Timmy et Tommy le poursuivaient à pied désormais.

Le Duc et moi, nous courions en direction des types de la fac. L'un d'entre eux a fini par nous apercevoir et nous lancer :

— Eh, vous ne seriez pas…

Il n'a pas eu le temps de finir sa phrase. Nous les avons dépassés, et le Duc m'a crié :

— Sors le tapis ! Sors le tapis de jeu !

J'ai balancé la boîte du Twister au milieu de l'autoroute. Ce n'est qu'en serrant le cadran avec la flèche entre mes dents et en tenant le tapis entre mes mains que j'ai compris où elle voulait en venir. Les jumeaux étaient peut-être les plus rapides. Mais, grâce à l'idée de génie du Duc, nous avions une chance. Lorsque nous avons atteint la bretelle de sortie, qui était en pente, j'ai déplié le tapis d'un mouvement sec de la main. Elle a sauté dessus, fesses les premières, et je l'ai imitée.

— Tobin, il faut que tu plantes ta main droite dans la neige pour qu'on suive la bonne trajectoire.

— D'accord, d'accord…

On a pris progressivement de la vitesse. Au moment d'aborder le virage de la bretelle, j'ai plongé ma main dans la neige, et notre trajectoire s'est infléchie, alors que nous accélérions toujours. De son côté, JP s'était cramponné sur le dos de Timmy Reston dans une vaine tentative pour ralentir son corps colossal.

— On peut encore réussir, ai-je lancé, en dépit de mes doutes.

Soudain, j'ai entendu un terrible grondement dans notre dos : la barrique de bière dévalait la pente à toute vitesse. Ils essayaient de nous tuer. Et ce n'était pas franchement fair-play !

— Tonneau ! ai-je hurlé.

Il filait droit sur nous. J'ignore combien pèse un tonneau de bière, mais, vu le mal qu'il donnait à ces types, son poids devait être suffisant pour tuer deux jeunes lycéens prometteurs qui faisaient de la luge sur un tapis de Twister la nuit de Noël. Le Duc ne détachait pas ses yeux de la barrique, qui se rapprochait dangereusement. Moi, j'étais bien trop terrorisé. Soudain, elle m'a crié :

— Maintenant, maintenant, tourne tourne tourne…

J'ai enfoncé mon bras dans la neige, et le Duc a basculé sur moi, me chassant presque du tapis. Ensuite, les choses se sont déroulées au ralenti. Le tonneau nous a presque effleurés, écrasant le rond rouge où le Duc était assise quelques secondes plus tôt. Il est allé rebondir sur la rambarde de sécurité. Je n'ai pas vu ce qui a suivi, je l'ai entendu : un tonneau de bière bien secoué heurtant un objet tranchant et éclatant comme une énorme bombe de mousse.

L'explosion a été si bruyante que Tommy, Timmy et JP se sont figés dans leur course pendant au moins cinq secondes. Lorsqu'ils sont repartis, Tommy a glissé sur une plaque de verglas et est tombé face contre terre. En voyant son frère chuter, le titanesque Timmy a changé de stratégie : au lieu de poursuivre JP, il s'est précipité sur la congère au bout de la route qui le séparait de la Waffle House. JP a anticipé son mouvement de quelques secondes, si bien qu'ils se sont retrouvés tous les deux à courir dans la même direction en suivant une trajectoire légèrement différente. Le Duc et moi y étions presque maintenant – suffisamment près de la sortie de la bretelle pour sentir la décélération, et suffisamment près des jumeaux pour entendre leurs hurlements. Derrière les vitres couvertes de buée de la Waffle House j'apercevais des pom-pom girls. Des sweat-shirts verts. Des queues-de-cheval.

Quand je me suis relevé, pourtant, j'ai su que nous n'y parviendrions pas. Timmy, qui était le plus proche de la porte d'entrée, a tendu les bras – la boîte du Twister paraissait étrangement petite dans sa main boursoufflée. JP n'était pas loin, pourtant, il se démenait dans la poudreuse qui lui arrivait à mi-mollet. Le Duc et moi, nous courions aussi vite que possible, mais nous avions un train de retard. Quand j'ai vu que Timmy allait bientôt pousser la porte, j'ai eu un coup au cœur. JP était si près du but. Ses parents avaient tout sacrifié pour immigrer aux États-Unis. Le Duc serait privée de ses gaufres, et moi de mes toasts au fromage.

Pourtant, au moment où Timmy s'apprêtait à pousser la porte, JP a bondi. Il s'est élevé dans les airs, le corps tendu comme un gardien de but cherchant à arrêter une balle en cloche. Il est monté si haut qu'on aurait dit qu'il avait pris son élan sur un trampoline. Son épaule s'est plantée dans la poitrine de Timmy Reston et ils ont tous deux roulé dans un massif d'arbustes recouvert de neige près de l'entrée. JP s'est relevé le premier, a foncé vers la porte, l'a tirée puis verrouillée derrière lui. Avec le Duc, nous étions à deux pas du but maintenant, assez près en tout cas pour entendre le cri de jubilation à travers la paroi vitrée. JP a brandi les mains au-dessus de sa tête, les poings serrés, et son cri de joie s'est prolongé pendant ce qui m'a paru une éternité.

Alors que JP nous cherchait dans l'obscurité, les bras toujours levés, j'ai vu Deun – il portait une visière, une chemise à rayures blanches et jaunes et un tablier marron – arriver derrière lui. JP a saisi Deun par la taille et l'a soulevé. Les pom-pom girls, rassemblées autour d'une table, avaient toutes tourné la tête dans leur direction. J'ai regardé le Duc, qui m'observait, moi, au lieu de la scène. J'ai éclaté de rire, et elle aussi.

Tommy et Timmy ont tambouriné contre la porte vitrée pendant un moment, mais Deun a haussé les épaules d'un air de dire : « Qu'est-ce que j'y peux ? » Ils se sont résolus à retourner à la Mustang. En nous croisant, Timmy a eu un mouvement brusque dans ma direction, mais ça s'est arrêté là. Je me suis retourné pour les regarder s'éloigner, et j'ai aperçu les deux mecs de la fac qui étaient toujours coincés sur la bretelle de sortie.

Nous avons fini, le Duc et moi, par atteindre la porte. Deun l'a déverrouillée en disant :

— Théoriquement, je ne devrais pas vous laisser entrer, puisque seul JP a battu les Reston. Mais c'est vous qui avez le Twister.

Je l'ai écarté du passage, et j'ai senti la caresse de l'air chaud sur mon visage. Je ne m'étais pas rendu compte à quel point mon corps était engourdi : il a été traversé de picotements, il revenait à la vie. J'ai balancé le tapis trempé du Twister et le cadran avec la flèche sur le carrelage en annonçant :

— Le Twister est arrivé !

— Hourra ! s'est écrié Deun, mais la nouvelle a à peine retenu l'attention de la meute verte à l'autre bout du restaurant.

J'ai serré Deun dans mes bras en lui frictionnant le crâne d'une main.

— J'ai une envie terrible de toasts au fromage, lui ai-je dit.

Le Duc a commandé des gaufres avant de se laisser tomber sur une banquette à côté du juke-box. JP et moi, on s'est approchés du comptoir pour discuter avec Deun pendant qu'il cuisinait.

— Force m'est de constater que les pom-pom girls ne sont pas vraiment en train de te coller.

— Ouais, m'a-t-il rétorqué de dos tout en mettant à chauffer les plaques du gaufrier. Ouais. J'espère que le Twister va y remédier. Elles ont essayé d'allumer Monsieur Je-Porte-Une-Queue-de-Cheval-Mais-Je-Suis-Quand-Même-Un-Homme-Un-Vrai, a-t-il ajouté en indiquant un type affalé sur une table, mais il est obsédé par sa copine, apparemment.

— Tu as raison, le Twister a l'air de faire de l'effet, ai-je remarqué.

Les pom-pom girls snobaient sans vergogne le tapis trempé, qui gisait toujours par terre. JP s'est penché pour les observer, il a secoué la tête.

— Je me rends seulement compte que je peux mater des pom-pom girls pour ainsi dire tous les jours pendant la pause déjeuner.

— Eh ouais, ai-je dit.

— Enfin, c'est évident qu'elles n'ont aucune envie de discuter avec nous.

— En effet…

Elles étaient serrées les unes contre les autres, autour d'une table. Elles parlaient très vite et semblaient complètement absorbées par leur conversation. Certains des mots qu'elles échangeaient me parvenaient, mais je n'y comprenais rien – il y était question de fentes, de pyramides et de grand écart. D'une compétition aussi. Il y a certains sujets de discussion que je trouve moins intéressants que les compétitions de pom-pom girls, mais pas beaucoup.

— Eh ! le type endormi se réveille ! a lancé JP.

J'ai regardé dans sa direction : il plissait ses yeux sombres en me considérant. Je l'ai reconnu au bout d'une seconde.

— Il est à Gracetown, ai-je dit.

— Ouais, m'a répondu Deun. Jeb.

— C'est ça.

Jeb était en première. Je ne le connaissais pas bien, mais je l'avais vu traîner dans le coin. Il m'a apparemment reconnu, lui aussi, parce qu'il s'est approché.

— Tobin ? m'a-t-il demandé.

J'ai acquiescé en lui tendant la main.

— Tu connais Addie ?

Je l'ai interrogé du regard.

— Une première ? Très belle ?

— Euh… non.

— Des cheveux longs, blonds, un physique spectaculaire, a-t-il ajouté.

Il paraissait désespéré. Et incapable de piger que je ne connaissais pas la fille dont il me parlait quand bien même il continuerait à me détailler la liste de ses qualités incroyables.

— Désolé, mec. Ça ne me dit rien.

Il a fermé les paupières et s'est affaissé.

— On sort ensemble depuis le 24 décembre, a-t-il repris, le regard perdu dans le vide.

— Depuis hier ? ai-je demandé en pensant : *Tu es avec elle depuis un jour et tu es à ce point dévasté ? Une raison supplémentaire pour ne pas abattre le mur de l'amitié.*

— Pas depuis hier, a-t-il répliqué d'une voix lasse. Depuis hier, ça fait un an.

Je me suis tourné vers Deun.

— La vache, ce type est dans un sale état.

Deun a acquiescé tout en plaçant mes toasts sur le gril.

— J'ai promis de l'emmener en ville tout à l'heure. Mais on a passé un accord, n'est-ce pas, Jeb ?

Celui-ci a répondu d'une voix monotone, comme si Deun le lui avait fait répéter un millier de fois :

— On ne partira pas d'ici tant qu'il restera une pom-pom girl.

— C'est ça, mon pote. Tu devrais peut-être te reposer.

— Oui, mais si tu la croises, a ajouté Jeb à mon intention, tu peux lui dire que j'ai été… euh… retardé.

— Pourquoi pas, ai-je répondu.

Je n'ai pas dû être très convaincant, parce qu'il a cherché à capter le regard du Duc.

— Dites-lui que j'arrive.

Ce qui est étrange, c'est qu'elle a saisi le message. En tout cas, c'est l'impression que ça donnait. Elle a hoché la tête en souriant, et j'ai de nouveau pensé à ce que j'essayais d'oublier. Son sourire l'avait convaincu ; il est retourné s'allonger sur sa banquette.

J'ai tenu compagnie à Deun jusqu'à ce que mon toast soit prêt.

— Ça a l'air trop bon, mec.

Il s'était déjà détourné pour servir les gaufres du Duc. Il s'apprêtait à lui apporter son assiette lorsque Billy Talos est apparu, la lui a prise des mains et est allé s'asseoir en face d'elle. Je les ai observés en mangeant : ils étaient penchés au-dessus de la table et avaient une conversation intense. Je crevais d'envie de les interrompre pour faire savoir au Duc qu'il avait dragué une des nombreuses Madison pendant qu'elle affrontait la tempête, mais je me suis retenu en songeant que ce n'était pas mes affaires.

— Je vais aller briser la glace, ai-je annoncé à JP et à Deun.

JP n'en revenait pas.

— Comment ça ? Avec les pom-pom girls ?

J'ai opiné.

— Mon pote, a rétorqué Deun, j'ai essayé toute la nuit. Elles font bloc, c'est impossible d'en isoler une. Et si tu t'adresses à elles en groupe, elles t'ignorent.

Je devais pourtant y arriver ou, du moins, en donner l'impression.

— Il faut adopter la même stratégie que les lions avec les gazelles, ai-je expliqué en examinant la meute. Repérer celle qui est à la traîne, et… (Une minuscule blonde s'est détournée l'espace d'une seconde.)… et bondir !

J'ai fondu sur elle en lui tendant la main.

— Tobin.

— Amber.

— Joli nom.

Elle a hoché la tête, et ses yeux ont fouillé les alentours à la recherche d'une échappatoire, mais il était trop tôt pour que je la laisse partir. J'ai cherché un sujet de conversation.

— Euh… Vous avez eu des nouvelles de votre train ? ai-je demandé.

— Si ça se trouve, il ne pourra même pas repartir demain, tu y crois ?

— Ça craint, ai-je répondu en souriant.

J'ai jeté un coup d'œil par-dessus mon épaule en direction de Billy et du Duc ; elle avait disparu. Les gaufres fumaient toujours dans l'assiette. Elle avait demandé du chocolat fondu dans une coupelle à part – comme toujours. J'ai abandonné Amber pour rejoindre Billy.

— Elle est sortie, a-t-il dit simplement.

Quelle personne saine d'esprit sortirait d'un endroit proposant des gaufres, de la chaleur et quatorze pom-pom girls ? Je me suis emparé de mon bonnet sur le comptoir et je l'ai enfoncé bien bas sur mes oreilles, avant d'enfiler mes gants et de ressortir affronter le vent. Le Duc était assise sur le trottoir du parking, l'auvent ne l'abritait qu'à demi des tourbillons de neige. Je me suis installé à côté d'elle.

— Ça te manquait, le froid ?

Elle a reniflé et, sans un regard, elle m'a lancé :

— Rentre. Ce n'est pas grave.

— Qu'est-ce qui n'est pas grave ?

— Rien. Rentre, c'est tout.

— « Rien n'est grave » serait un super nom de groupe.

Je voulais qu'elle relève les yeux pour que je puisse évaluer la gravité de la situation, ce qu'elle a fini par faire : son nez était rouge, et j'ai pensé, dans un premier temps, qu'elle avait froid, puis après qu'elle avait peut-être pleuré, ce qui était zarbi, parce que le Duc ne pleure jamais.

— J'aimerais seulement… j'aimerais que tu évites de le faire devant moi. Enfin, c'est vrai, qu'est-ce qu'elle a de si passionnant ? Dis-moi, franchement. Et les autres, qu'est-ce qu'elles ont ?

— Je ne sais pas. Tu parlais à Billy Talos.

Elle a relevé la tête et, cette fois, elle a soutenu mon regard sans défaillir.

— Je lui expliquais que je ne pouvais pas aller à ce bal débile avec lui parce que je n'arrive pas à me sortir quelqu'un d'autre de la tête.

J'avais besoin de temps pour mûrir le sens de ses paroles, mais elle a poursuivi :

— Je comprends bien qu'elles gloussent, alors que moi je me contente de rire, qu'elles exhibent leur poitrine, alors que je n'en ai pas, mais, juste, histoire que ce soit bien clair, je suis une fille, moi aussi.

— Je le sais bien, ai-je répondu sur la défensive.

— Ah oui ? Quelqu'un le sait ? Parce que quand j'entre chez *Le Duc et la Duchesse*, je suis le Duc. Dans votre bouche, je suis l'un des trois rois mages. On me traite d'homo quand je fantasme sur James Bond. Et tu ne me regardes jamais comme les autres filles, sauf... peu importe. Peu importe, peu importe, peu importe. Pendant qu'on marchait dans la neige, avant que les jumeaux reviennent, j'ai pensé, l'espace d'une seconde, que tu me regardais comme une vraie fille, et je me suis dit : « Eh, peut-être que Tobin n'est pas le plus gros naze superficiel de la Terre. » Mais voilà, je romps avec Billy, et, quand je relève le nez, tu es en train de parler avec une pom-pom girl comme tu ne m'as jamais parlé et... peu importe.

Il m'avait fallu du temps, mais j'ai fini par piger. Elle avait pensé à la même chose que moi, et elle essayait aussi de l'oublier. On s'efforçait de chasser de notre cerveau la même idée. Elle avait le béguin pour moi. J'ai gardé les yeux baissés. J'avais besoin de réfléchir avant de l'affronter. *Très bien*, me suis-je dit, *je vais lever les yeux vers elle, et si elle me regarde aussi, alors je l'observerai bien avant de me détourner pour réfléchir à nouveau au problème. Un seul regard.*

Elle avait la tête penchée vers moi, elle ne cillait pas. Ses prunelles contenaient toutes les couleurs du monde. Elle a pincé ses lèvres gercées avant de les laisser tranquilles. Une mèche de cheveux s'était échappée de son bonnet, son nez était rougi, et elle reniflait. Je n'avais pas envie de détourner le regard, mais c'est ce que j'ai pourtant fini par faire. J'ai contemplé une nouvelle fois la neige sous mes pieds.

— Dis quelque chose, s'il te plaît... m'a-t-elle supplié.

Je me suis adressé au sol :

— J'ai toujours pensé qu'il ne faut pas abattre le mur de l'amitié dans l'espoir qu'il en ressorte quelque chose de bon, parce que ce n'est jamais le cas. Tu vois ce que je veux dire ? Il y a tellement à perdre.

— Tu sais pourquoi j'ai accepté de venir ? Pourquoi je t'ai poussé à monter cette pente, Tobin ? Tu te doutes quand même bien que ce n'était pas parce que je voulais éviter à Deun de se retrouver avec les jumeaux Reston ou parce que je rêvais de te voir ramper devant des pompom girls, non ?

— Je pensais que ça avait à voir avec Billy.

Elle me fixait avec intensité, maintenant, et je sentais son souffle sur mon visage.

— Je voulais qu'on vive une aventure ensemble. Parce que je ne suis pas comme Machinette. Je ne trouve pas que ce soit « trop horrible » de faire sept kilomètres dans la neige. J'en avais envie. J'ai adoré. Pendant qu'on regardait la télé, chez toi, je ne rêvais que d'une chose : qu'il neige encore plus. Encore et encore ! Ça rend la vie tellement plus intéressante. Tu n'es peut-être pas comme ça, mais je suis persuadée que si...

— Je souhaitais la même chose, ai-je dit en l'interrompant presque et en évitant toujours de la regarder, de peur des conséquences. Qu'il continue à neiger.

— C'est génial, non ? Vraiment géant. Et même si toute cette neige complique les choses, où est le problème ? La voiture a perdu une roue dans l'affaire… et alors ? Ça mettrait notre amitié en péril… et alors ? J'ai embrassé des garçons avec lesquels rien n'était en jeu, et ça m'a seulement donné envie d'en embrasser un avec lequel tout…

J'ai relevé les yeux à « rien n'était en jeu », et j'ai attendu jusqu'à « tout », alors, n'y tenant plus, ma main s'est retrouvée sur sa nuque. Elle a posé ses lèvres sur les miennes, l'air glacé a disparu, remplacé par la chaleur de sa bouche, douce et sucrée, au goût de gaufre. J'ai rouvert les yeux, mes gants ont effleuré la peau de son visage pâli par le froid : c'était la première fois que j'échangeais un baiser avec une fille dont j'étais amoureux. Quand nous nous sommes écartés, je l'ai considérée avec timidité.

— Waouh…

Elle a éclaté de rire en m'attirant vers elle. Dans notre dos s'est élevé le tintement d'une cloche : la porte du restaurant venait de s'ouvrir.

— MERDE. QU'EST-CE QUI SE PASSE ICI ?

J'ai tourné la tête vers JP, en essayant de chasser mon sourire béat.

— DEUN ! a-t-il hurlé. RAMÈNE ICI TON GROS CUL DE CORÉEN !

Celui-ci est apparu dans l'embrasure de la porte. JP nous a crié :

— DITES-LUI CE QUE VOUS VENEZ DE FAIRE !

— Mmmmm... ai-je dit.

— On s'est embrassés, a complété le Duc.

— Vous faites un peu homos, a remarqué Deun.

— JE SUIS UNE FILLE !

— Ouais, je sais, mais Tobin aussi, a rétorqué Deun.

JP criait toujours, comme s'il était incapable de contrôler le volume de sa voix :

— JE SUIS LE SEUL À ME SOUCIER DE NOTRE AMITIÉ ? PERSONNE NE PENSE DONC À NOTRE AMITIÉ ?

— Retourne baver devant les pom-pom girls, a répliqué le Duc.

JP nous a observés un moment avant de lâcher, avec un sourire :

— Vous n'avez pas intérêt à vous transformer en amoureux transis.

Il est rentré.

— Tes gaufres vont refroidir, ai-je dit au Duc.

— Si on y retourne, interdiction de draguer les pom-pom girls.

— Je ne l'ai fait que pour attirer ton attention, lui ai-je avoué. Est-ce que je peux encore t'embrasser ?

Elle a hoché la tête. Ce deuxième baiser était encore meilleur que le premier. J'aurais pu continuer éternellement, mais, en gardant ses lèvres contre les miennes, elle a dit :

— J'ai vraiment envie de ces gaufres, tu sais.

Je lui ai tenu la porte, elle s'est glissée sous mon bras, et nous nous sommes mis à table à trois heures du matin.

Plus tard, nous nous sommes cachés au fond, entre les immenses réfrigérateurs en acier. JP venait nous interrompre, de temps à autre, et nous racontait avec force détails hilarants leurs tentatives infructueuses, à Deun et à lui, pour engager la conversation avec les pom-pom girls. Puis nous nous sommes endormis sur le carrelage rouge de la cuisine, le Duc avait la tête posée sur mon épaule, moi, sur mon manteau. JP et Deun nous ont réveillés à sept heures, et Deun a brièvement manqué à sa parole en abandonnant le restaurant – encore rempli de pom-pom girls – pour nous conduire chez *Le Duc et la Duchesse.* C'était Monsieur Alu qui s'occupait de la dépanneuse. Il nous a emmenés. De retour à la maison, j'ai placé un cric sous la voiture pour protéger l'axe, puis j'ai rangé la roue dans le garage. Ensuite, le Duc et moi sommes allés chez elle pour ouvrir les cadeaux. Je me suis efforcé de dissimuler aux parents du Duc que j'étais raide dingue de leur fille. Après ça, mes parents sont rentrés, et je leur ai dit que j'avais abîmé Carla en voulant accompagner le Duc chez elle, et ils m'ont crié dessus, mais pas longtemps, parce que c'était Noël et qu'ils avaient une assurance et que ce n'était rien qu'une voiture. J'ai appelé le Duc, JP et Deun, ce soir-là, après le départ des pom-pom girls et le sacro-saint repas de Noël en famille. Ils sont tous venus à la maison, on a regardé deux James Bond, puis on a passé une bonne partie de la nuit à évoquer notre aventure de la veille. Ensuite, on s'est endormis, chacun dans son sac de couchage, comme on l'avait toujours fait, sauf que le Duc et moi nous sommes restés éveillés. On s'est regardés en silence, pendant très longtemps, puis on a fini par se lever, vers quatre heures et demie. On a parcouru deux kilomètres dans la neige pour aller au Starbucks, rien que tous les deux. J'ai réussi à dépasser mon appréhension et à commander une boisson – c'est loin d'être une partie de plaisir dans cet endroit. J'ai pris un *caffè latte*, qui contenait la caféine dont j'avais grandement besoin, puis on s'est assis dans des fauteuils en velours violet. Enfin, on s'est plutôt affalés. Je n'avais jamais été aussi fatigué de toute ma vie, si fatigué que je pouvais à peine sourire. On a parlé de tout et de rien – elle était sacrément inspirée. À un moment, il y a eu une pause, et, en levant ses yeux embrumés de sommeil vers moi, elle a dit :

— Jusqu'ici tout va bien.

Et j'ai dit :

— C'est fou comme je t'aime.

Elle a poussé un soupir.

— C'était un soupir de contentement ?

— C'était le soupir le plus heureux de mon existence.

J'ai posé mon *latte* sur la table pour me laisser submerger par le bonheur de savoir que j'étais en train de vivre la plus grande aventure de ma vie.

le saint patron des cochons

Lauren Myracle

À papa, à Sarah Lee, et à Brevard,
charmante bourgade de montagne...
Et à la grâce incroyable qui les habite.

1

❄❄❄

Ma vie est pourrie. Doublement pourrie parce que la nuit est censée être magnifique avec toute cette neige que je regarde tomber par ma fenêtre et qui s'accumule sur un mètre cinquante. Sachant que c'est Noël, on peut même aller jusqu'à dire qu'elle est triplement pourrie. Ajoutons, pour couronner le tout, la tristesse et la douleur de l'absence de Jeb, et le « pourrimètre » est sur le point d'exploser. *Dring, dring, dring !* En guise de clochettes de Noël, j'ai droit à l'alarme du pourrimètre. Charmant.

Quel joli petit cake à la figue tu fais, ai-je ajouté intérieurement, en priant pour que Dorrie et Tegan se dépêchent de rappliquer. Je ne sais pas pourquoi j'avais pensé à un cake à la figue. C'était sans doute le genre de plat qui restait, en dernier, sur le buffet, parce que personne n'en avait voulu. Exactement comme moi.

Grrrr... J'avais horreur de m'apitoyer sur mon sort, et c'était précisément pour cette raison que j'avais appelé

Tegan et Dorrie à la rescousse. Mais elles n'étaient pas encore là, et, de toute façon, je ne pouvais pas m'empêcher de pleurer sur moi.

Parce que Jeb me manquait terriblement.

Parce que notre rupture, qui remontait à une semaine seulement et qui était aussi douloureuse qu'une plaie à vif, était entièrement due à ma bêtise.

Parce que j'avais écrit un mail (ridicule ?) à Jeb, le suppliant de me retrouver au Starbucks hier pour discuter. Qu'il n'était pas venu, et ne s'était même pas donné la peine d'appeler.

Parce que, aussi, après avoir poireauté au Starbucks pendant près de deux heures, je nous haïssais tellement, la vie et moi, que je m'étais traînée à l'autre bout du parking, chez *Super Sam*, où j'avais demandé à la coiffeuse, en sanglotant, de me couper les cheveux et de les teindre en rose. Ce qu'elle avait fait, bien sûr. Elle n'avait aucune raison de s'opposer à mon suicide capillaire, si ?

Voilà pourquoi je m'apitoyais sur mon sort : je ne pouvais m'en prendre qu'à moi si j'avais le cœur brisé et si je ressemblais à un poussin rose.

— Addie… waouh ! s'était écriée ma mère quand j'étais rentrée, la veille. Voilà un changement de coiffure… plutôt radical. Et je ne parle pas de la couleur. Tes si jolis cheveux blonds…

Je lui avais jeté un regard noir, auquel elle avait répondu d'un mouvement de la tête en guise d'avertissement : *Fais attention, chérie. Je sais que tu as de la peine, mais ce n'est pas une raison pour te venger sur moi.*

— Désolée, avais-je répliqué, c'est juste que je ne me suis pas encore habituée.

— Il faut dire que c'est un sacré changement. Qu'est-ce qui t'a pris ?

— Je ne sais pas, j'avais besoin de quelque chose de différent.

Elle avait posé son fouet – elle était en train de préparer des Cerises Jubilé, le dessert traditionnel du 24 décembre dans ma famille. L'odeur acide des cerises me piquait les yeux.

— Cela aurait-il, par hasard, un rapport avec ce qui s'est passé à la fête de Charlie, samedi dernier ? avait-elle demandé.

J'avais senti le sang me monter au visage.

— Je ne vois pas de quoi tu veux parler… Comment sais-tu ce qui est arrivé chez Charlie, d'abord ?

— Chérie, tu t'endors en pleurant presque tous les soirs…

— Pas du tout !

— Et tu es pendue au téléphone avec Dorrie ou Tegan pour ainsi dire vingt-quatre sur vingt-quatre.

— Tu as écouté nos conversations ? Tu espionnes ta propre fille ?

— Je ne crois pas que ce soit le terme qui convient. Ce n'était pas vraiment volontaire.

J'en étais restée bouche bée. Elle se faisait passer pour la mère parfaite avec son tablier de Noël, la mère qui préparait des Cerises Jubilé d'après une vieille recette de famille, alors qu'elle n'était… elle n'était… Je ne sais pas très bien ce qu'elle était, simplement c'était mal, très mal, d'écouter des conversations auxquelles on n'a pas été convié.

— Et ne dis pas « vingt-quatre sur vingt-quatre », tu as largement passé l'âge.

Elle avait éclaté de rire, ce qui m'avait encore plus mise hors de moi, surtout qu'elle s'était tout de suite reprise en me couvant du regard – j'entendais presque ses pensées : « C'est une adolescente, la pauvre, c'est normal qu'elle ait des peines de cœur. »

— Addie, ma chérie, tu cherchais à te punir ?

— Je rêve ! C'est vraiment la pire chose à dire à quelqu'un qui vient de se faire couper les cheveux.

Et je m'étais réfugiée dans l'intimité de ma chambre pour pleurer.

Vingt-quatre heures plus tard, j'étais toujours allongée sur mon lit. Je n'étais sortie de ma chambre que pour goûter les cerises la veille et pour ouvrir les cadeaux le matin même, mais je n'y avais pris aucun plaisir. La joie et la magie de Noël ne m'habitaient pas vraiment. D'ailleurs, je n'étais déjà plus sûre d'y croire.

J'ai roulé sur le ventre pour récupérer mon iPod sur ma table de nuit. J'ai sélectionné ma play-list « Jour Sans », qui rassemblait toutes les chansons déprimantes de la Terre, et pressé la touche *Play.* Je suis ensuite retournée dans le menu principal pour sélectionner le dossier « Photos ». Je savais que je m'aventurais sur un territoire dangereux, mais ça m'était égal. J'ai ouvert l'album qui m'intéressait.

Une photo de Jeb est apparue sur l'écran, la toute première que j'avais prise à la dérobée avec mon portable, il y avait un peu plus d'un an. Il neigeait ce jour-là aussi, et on apercevait des flocons dans ses cheveux sombres. Il portait un blouson en jean malgré la température glaciale, et j'avais alors pensé que sa mère et lui avaient peut-être des problèmes d'argent. De ce que j'en savais, ils avaient quitté la réserve de Cherokee, à plus de cent kilomètres de là, pour venir s'installer à

Gracetown. Je trouvais ça géant. C'était tellement exotique.

Quoi qu'il en soit, Jeb et moi, on était ensemble en cours d'anglais, pendant l'année de seconde. Il était à tomber avec sa queue-de-cheval et ses yeux de braise. Il était aussi extrêêêêêmement sérieux, ce qui était nouveau pour moi – j'étais plutôt une feignante. Pendant qu'il s'appliquait pour prendre des notes, je l'observais en douce, m'émerveillant de ses cheveux si brillants et de ses pommettes si hautes. Il était réservé, pour ne pas dire distant, même quand j'en rajoutais dans l'enjouement.

Quand j'avais abordé ce sujet brûlant avec Dorrie et Tegan, la première avait suggéré que, peut-être, Jeb ne se sentait pas à l'aise dans cette petite ville de montagne où tout le monde était très américain, très chrétien et très blanc.

— Je ne vois pas le mal qu'il y a à ça, avais-je rétorqué sur la défensive, étant les trois à la fois.

— Je ne dis pas le contraire, mais juste, peut-être, qu'il se sent un peu exclu. Peut-être.

Étant l'une des deux seuls Juifs du lycée – je les ai comptés –, Dorrie était bien placée pour le savoir.

Du coup, je m'étais mise à envisager les choses sous cet angle. Ça pouvait expliquer que Jeb déjeune avec Nathan Krugle, qui n'est certainement pas un modèle d'intégration avec sa collection de tee-shirts *Star Trek*. Ça pouvait expliquer qu'il reste dans son coin, adossé à un mur, le matin, avant les cours, au lieu de commenter, avec tout le monde, le programme télé de la veille. Ça pouvait expliquer qu'il n'ait pas encore succombé à mes charmes…

Plus j'y pensais, plus ça m'inquiétait. Personne ne devrait se sentir mal à l'aise dans son propre lycée.

Surtout un mec aussi irrésistible que Jeb. Et surtout avec des camarades aussi sympas. Enfin, en tout cas Dorrie, Tegan, moi, et nos autres amies. On était vachement sympas. Les fumeurs de joints, eux, n'étaient pas si cool que ça. Ils étaient même franchement désagréables. Et Nathan Krugle était du genre rancunier, fielleux. D'ailleurs, j'aimais mieux ne pas penser aux idées débiles que Nathan essayait sans doute de fourrer dans le crâne de Jeb.

Un jour que je ressassais ces mêmes idées pour la millième fois, je suis passée de l'inquiétude à la colère. Non, mais franchement ! Pourquoi Jeb préférait-il traîner avec Nathan Krugle plutôt qu'avec moi ? Ce jour-là, en cours, je lui ai planté mon stylo dans le bras en disant :

— Bon sang, Jeb, ça t'arrive de sourire ?

Il a sursauté, faisant tomber son bouquin par terre. Je me suis sentie terriblement mal. *Quelle délicatesse, Addie, pourquoi tu ne lui hurlerais pas dans l'oreille la prochaine fois ?*

Mais ensuite ses lèvres ont esquissé un sourire et ses yeux se sont allumés d'une lueur amusée, et d'autre chose aussi… qui a précipité les battements de mon cœur. Il a rougi, et il s'est aussitôt penché pour ramasser son livre.

J'avais alors compris qu'il était seulement timide.

Appuyée sur mon oreiller, j'ai observé la photo de Jeb sur mon iPod jusqu'à ce que la douleur soit insupportable. J'ai appuyé sur le bouton, et la photo suivante a surgi. Elle datait du 24 décembre de l'an dernier, soit deux semaines après ma fameuse question. Comme le 24 décembre était le genre de journée interminable, on s'était retrouvés avec plusieurs potes du lycée au parc, pour s'aérer. J'avais demandé à un des gars d'appeler Jeb, qui avait miraculeusement accepté de se joindre à nous.

On avait fini par faire une bataille de boules de neige, les garçons contre les filles, c'était géant. Dorrie, Tegan et moi avions construit un petit mur de neige et mis en place un système de répartition des tâches très efficace : Tegan fabriquait les boules de neige, je les stockais, et Dorrie les balançait sur nos ennemis avec une précision mortelle. Nous avions le dessus jusqu'à ce que Jeb nous prenne à revers et me plaque sur notre réserve de munitions. J'avais eu de la neige dans le nez, et ça m'avait fait drôlement mal, mais je riais trop fort pour m'en soucier. J'avais roulé sur le dos, hilare, et son visage s'était retrouvé à quelques centimètres du mien.

C'était cet instant qu'avait capturé la photo, cette fois, prise depuis le portable de Tegan. Jeb portait toujours son blouson en jean – le bleu délavé allait si bien avec son teint mat –, il riait lui aussi. En nous voyant si heureux, je me suis rappelé qu'il ne s'était pas relevé tout de suite. Il s'était appuyé sur ses avant-bras pour ne pas m'écraser, et son rire s'était doucement transformé en une question qui m'avait collé des papillons dans l'estomac.

Après la bataille de boules de neige, Jeb et moi étions allés prendre des mokas au Starbucks, rien que tous les deux. C'était moi qui l'avais proposé, mais il avait accepté sans une seconde d'hésitation. On s'était installés dans les deux fauteuils en velours violet, à l'entrée du café. J'étais fébrile, lui, timide. Puis sa timidité s'était dissipée, ou peut-être que c'était sa détermination qui avait crû, en tout cas, il m'avait pris la main. J'avais été si surprise que j'en avais renversé mon café.

— Addie…

Il avait dégluti avant d'ajouter :

— Est-ce que je peux t'embrasser ?

Mon cœur s'était emballé ; c'était moi qui étais timide maintenant, un comble ! Jeb m'avait pris la tasse des mains pour la poser sur la table, il s'était penché vers moi, et ses lèvres avaient effleuré les miennes. Au moment où il s'était reculé, j'avais vu ses yeux fondant comme du chocolat chaud. Il avait souri, et j'avais fondu, moi aussi.

C'était le plus merveilleux 24 décembre de ma vie.

— Addie ! m'a appelée mon petit frère depuis le salon, où il jouait avec mes parents à la Wii, que le père Noël lui avait apportée. Tu viens faire une partie ?

— Non merci.

— Même une partie de tennis ?

— Non.

— De bowling, alors ?

J'ai grogné. La perspective de jouer avec lui ne me réjouissait pas plus que ça, mais Chris n'avait que huit ans. Et il essayait simplement de me remonter le moral.

— Plus tard, peut-être, ai-je répondu.

— Très bien.

Je l'ai entendu s'éloigner de l'escalier, puis annoncer à papa et maman :

— Elle a dit non.

Je me suis sentie encore plus triste. Mes parents et Chris étaient en bas, ils s'amusaient à se battre avec des nunchakus virtuels, alors que j'étais seule, à ruminer mon malheur.

À qui la faute ? me suis-je demandé.

Oh, la ferme, me suis-je répondu.

J'ai passé en revue d'autres photos : Jeb, prenant la pose avec un brownie, qu'il m'avait acheté parce qu'il savait que c'était mon gâteau préféré ; Jeb, en été, torse nu, au bord de la piscine de Megan (purée ce qu'il était beau…) ; Jeb, couvert de mousse de savon, en train de laver une voiture au profit d'une œuvre de bienfaisance.

Je me suis arrêtée sur cette photo-là, et je me suis liquéfiée. On s'était tellement amusés ce jour-là – et c'était pour une bonne cause, en prime. La séance de lavage de voitures avait été organisée par le Starbucks où je travaille, et Jeb avait proposé de participer. Il était arrivé à neuf heures du matin et, jusqu'à trois heures de l'après-midi, il avait frotté, savonné et rincé. Il aurait parfaitement eu sa place dans le calendrier des plus beaux gosses de la Terre. Rien ne l'obligeait à rester aussi longtemps, et ça m'avait rendue dingue de joie. Lorsque la dernière voiture était partie, je l'avais pris dans mes bras et j'avais attiré son visage vers le mien.

— Pas besoin d'en faire autant, lui avais-je dit en respirant son odeur savonneuse. À la première voiture, tu m'as eue.

J'allais continuer sur ce mode, en empruntant la réplique de Renée Zellweger à Tom Cruise dans *Jerry Maguire* : « Tu m'as eue sur ton "bonsoir" », mais il avait froncé les sourcils.

— Ah, ouais ? Euh, tant mieux. Même si je ne suis pas sûr de comprendre ce que tu entends par là.

— Très drôle, avais-je répondu, persuadée qu'il réclamait d'autres compliments. Je trouve juste adorable d'être resté jusqu'au bout. Et si tu l'as fait pour m'impressionner… eh bien, c'était inutile. C'est tout.

Il avait haussé ses sourcils.

— Tu penses que j'ai lavé ces voitures pour t'impressionner ?

J'étais devenue rouge comme une pivoine en réalisant qu'il ne plaisantait pas une seconde.

— Euh... plus maintenant, non.

Gênée, j'avais essayé de me libérer de son étreinte, mais il m'avait retenue. Il avait déposé un baiser sur le sommet de mon crâne, en ajoutant :

— Addie, ma mère m'a élevé toute seule.

— Je sais.

— Ça n'a pas toujours été facile. J'aide les autres quand l'occasion se présente, c'est tout.

Pendant un instant, j'avais boudé. Ce qui était franchement nul. Mais même si je savais que les motivations de Jeb étaient les bonnes, je ne pouvais pas m'empêcher de regretter qu'elles n'aient pas, au moins un peu, eu à voir avec moi. Il m'avait serrée contre lui.

— Je suis ravi de t'avoir impressionnée, cela dit.

J'avais senti la caresse de ses lèvres sur ma peau, la chaleur de son torse à travers sa chemise humide.

— Je n'aime rien tant qu'impressionner mon amoureuse.

Je n'étais pas tout à fait prête à accepter la taquinerie.

— Tu veux donc dire que je suis ton amoureuse ?

Il avait éclaté de rire, comme si je lui avais demandé si le ciel était encore bleu. Je ne l'avais pas laissé s'en tirer à si bon compte. Je m'étais même écartée et je l'avais bravé du regard. *Alors ?* Ses prunelles sombres avaient retrouvé leur sérieux et il avait pris mes deux mains dans les siennes.

— Oui, Addie, tu es mon amoureuse. Tu le seras toujours.

J'ai fermé mes paupières en les serrant de toutes mes forces : ce souvenir était trop douloureux. Il me rappelait que j'avais perdu une part de moi-même. J'ai éteint mon iPod, et l'écran est redevenu noir. La musique aussi s'est arrêtée.

Je me suis enfoncée dans mon oreiller en fixant le plafond, passant à nouveau en revue les raisons pour lesquelles les choses avaient mal tourné, entre Jeb et moi. Les raisons pour lesquelles j'avais cessé d'être son amoureuse. Je connaissais la réponse, bien sûr, mais je ne pouvais m'empêcher d'analyser compulsivement les événements qui nous avaient menés au point de rupture, parce que avant même la soirée de Charlie, ça n'allait plus bien entre nous. Ce n'était pas qu'il ne m'aimait pas, j'étais même sûre du contraire. Et moi je l'aimais tellement que c'en était douloureux.

Le problème, je crois, c'était notre façon de nous montrer cet amour. Ou, dans le cas de Jeb, sa façon de ne pas le montrer – c'est bien l'impression que ça me donnait. D'après Tegan, qui est experte en psychologie, Jeb et moi parlions deux langues différentes. Je voulais qu'il soit tendre, romantique, affectueux, comme il l'avait été au Starbucks, lors de notre premier baiser. J'avais été engagée dans ce même café un mois plus tard, et je me souviens avoir alors pensé : *Super, on va pouvoir revivre notre baiser.* Ce qui n'était pas arrivé une seule fois. Alors qu'il passait me voir tout le temps. Alors que j'envoyais des signaux très clairs (je maîtrise parfaitement le langage corporel) pour l'inviter à m'embrasser. Il se contentait de tendre le bras par-dessus le comptoir pour tirer sur le nœud de mon tablier vert.

— Eh, jolie serveuse ! disait-il.

Ce qui était mignon, mais… insuffisant.

Ce n'est qu'un exemple. Il y en aurait un tas d'autres. J'aurais voulu qu'il téléphone pour me souhaiter bonne nuit tous les soirs, ce qui le gênait parce qu'il habitait dans un petit appartement : « Je n'ai pas envie que ma mère m'entende te dire des mots doux. » Les autres garçons ne faisaient aucune difficulté pour tenir leurs copines par la main dans les couloirs du lycée, mais chaque fois que j'attrapais celle de Jeb, il la serrait fort avant de la relâcher.

— Ça te gêne de me toucher ?

— Bien sûr que non. Tu sais bien que non, Addie. J'adore être avec toi. Seulement, j'aime bien être *seul* avec toi.

Pendant longtemps, j'avais gardé ces réflexions pour moi. Je n'avais aucune envie de passer pour une chouineuse. Mais, au bout de six mois (je lui avais offert une compil des chansons les plus romantiques de la planète pour fêter notre anniversaire, et lui, rien), quelque chose avait tourné à l'aigre en moi. C'était nul : j'étais avec un type que j'aimais, et je voulais que tout soit parfait entre nous, mais je ne pouvais pas y arriver seule. Et si ça faisait de moi une chouineuse, eh bien tant pis. Jeb avait très bien senti qu'il y avait quelque chose qui clochait, il ne m'avait pas lâchée jusqu'à ce que je le reconnaisse.

— Qu'est-ce qui ne va pas ?

— À ton avis ?

— C'est parce que je ne t'ai rien offert ? Je ne savais pas qu'on était censés se faire des cadeaux pour nos six mois.

— Oui, eh bien, tu aurais dû, avais-je marmonné.

Le lendemain, il m'avait donné un collier avec un pendentif en forme de cœur, de ceux à vingt-cinq *cents* qu'on trouve dans les distributeurs – sauf qu'il l'avait retiré de la coque en plastique pour le placer dans un écrin. Je ne peux pas dire que ça m'avait fait plaisir. Le surlendemain, Tegan m'avait attirée dans un coin : Jeb avait peur que le cadeau ne me plaise pas, parce que je ne le portais pas.

— Ce collier vient de chez *Le Duc et la Duchesse*, avais-je rétorqué. Plus exactement de la machine près de la sortie. Il coûte vingt-cinq *cents* !

— Tu sais combien de pièces Jeb a dû mettre avant d'obtenir celui-ci ? Trente-huit. Il n'arrêtait pas de naviguer entre le distributeur et la caisse.

J'ai senti mon cœur se serrer.

— Tu veux dire que…

— Il voulait ce collier en particulier. Celui avec le cœur.

Je n'aimais pas du tout la façon dont Tegan me dévisageait. J'avais détourné les yeux.

— Ça fait quand même moins de dix dollars.

Elle était restée silencieuse. Je n'osais pas soutenir son regard. Elle avait fini par répondre :

— Je sais que tu ne le penses pas vraiment, Addie. Ne joue pas les pestes.

Je n'avais aucune envie d'être une peste – bien sûr que le prix d'un cadeau n'avait aucune importance. Mais j'en attendais davantage de Jeb, et plus le temps passait, plus la situation se dégradait entre nous. Je continuais à l'accabler de reproches, et la réciproque était aussi vraie. On ne se critiquait pas en permanence, mais bien plus souvent que ne l'exige une relation saine.

— Tu voudrais que je devienne quelqu'un d'autre, m'avait-il lancé la veille de notre rupture.

Nous étions dans la voiture de sa mère, devant chez Charlie, juste avant de nous rendre à la fête. Si je pouvais remonter le temps et ne jamais franchir le seuil de cette maison, je le ferais. Sans hésitation.

— Ce n'est pas vrai, avais-je rétorqué.

Mes doigts avaient trouvé, en tâtonnant, l'accroc dans le rembourrage de la portière et s'étaient mis à creuser la mousse.

— Si, c'est vrai, Addie.

J'avais changé de tactique.

— D'accord, admettons que ce soit vrai. En quoi serait-ce un mal ? Les gens changent en permanence. Prends n'importe quelle histoire d'amour, n'importe quelle grande histoire d'amour, tu verras que les héros doivent accepter d'évoluer s'ils veulent que leur relation marche. Regarde *Shrek*, par exemple, lorsque Fiona dit à Shrek qu'elle en a sa claque de l'entendre roter et péter continuellement. Shrek lui répond un truc du genre : « Je suis un ogre, faut t'habituer. » Elle lui demande : « Et si j'en suis incapable ? » Alors Shrek prend cette potion magique qui le transforme en prince canon. Il le fait par amour pour Fiona.

— C'est dans *Shrek 2*. Pas dans le premier.

— Et alors ?

— À la fin, Fiona réalise qu'elle n'a pas envie d'un prince canon. Elle veut qu'il redevienne un ogre.

J'avais froncé les sourcils. Ce n'était pas le souvenir que j'en avais.

— Ce que j'essaie de démontrer, c'est qu'il était prêt à changer, avais-je insisté.

Jeb avait soupiré.

— Pourquoi est-ce toujours au type de le faire ?

— Ça peut être la fille aussi… Enfin, bref. Tout ce que je dis, c'est que, quand on aime quelqu'un, on devrait avoir envie de le lui montrer. On n'a qu'une seule vie, Jeb, une seule.

Le désespoir me serrait la gorge. J'avais poursuivi d'une voix étranglée :

— Tu ne pourrais pas seulement essayer ? Ne serait-ce que parce que c'est important pour moi ?

Jeb avait laissé son regard errer par la vitre du côté conducteur.

— Je… je rêverais que tu montes sur scène pour me chanter ton amour comme Hugh Grant dans *Le Come Back*. Je rêverais que tu viennes me chercher en limousine comme Richard Gere dans *Pretty Woman*. Que tu me fasses voler à la proue d'un paquebot comme Leonardo DiCaprio dans *Titanic*, tu t'en souviens ?

— Le type qui se noie ?

— Oui, bon… mais ce n'est pas du tout la question. Évidemment que je ne veux pas que tu te noies. Je veux que tu m'aimes suffisamment pour être prêt à le faire. Je veux… (Ma voix tremblait.) J'ai besoin de preuves.

— Addie, tu sais bien que je t'aime.

— Je me contenterais de petits gestes, avais-je ajouté, incapable de clore le débat.

J'avais vu deux sentiments lutter sur son visage : la douleur et la colère.

— Tu ne peux pas avoir confiance en notre amour au lieu de me demander de te le prouver à chaque seconde ?

La suite des événements avait démontré que non. Enfin, pas « la suite des événements », mais moi toute seule. Je m'étais conduite comme une peste. C'est vrai que j'avais englouti trente-huit verres de bière, ou une quantité approchante, mais ce serait trop facile de rejeter la faute sur l'alcool.

Avec Jeb, on s'était donc rendus à la fête, mais on n'avait pas passé la soirée ensemble, à cause de la dispute. J'avais atterri dans le sous-sol avec Charlie et d'autres types, alors que Jeb était resté au rez-de-chaussée. On m'a raconté après qu'il avait rejoint une bande d'intellos pour regarder *Elle et Lui*, de Leo McCarey, sur l'écran plat des parents de Charlie. L'ironie de la situation était telle qu'elle en aurait été drôle si elle n'avait pas été aussi triste.

Au sous-sol, j'avais joué à un jeu débile avec les gars : il fallait boire chaque fois qu'on perdait. Charlie m'avait encouragée sur cette mauvaise pente, parce que c'est le diable incarné. Une fois la partie terminée, il m'avait demandé si on pouvait aller discuter au calme, et, comme une idiote, je l'avais suivi dans la chambre de son grand frère. J'étais un peu surprise, bien sûr, parce que Charlie et moi n'avions jamais parlé en tête à tête avant, mais on traînait avec les mêmes personnes. Il était arrogant et lèche-bottes – autrement dit un vrai trouduc, pour reprendre une expression d'un Coréen du lycée –, mais il avait un physique de mannequin, ce qui lui permettait d'obtenir beaucoup de choses.

Dans la chambre de son frangin, il m'avait fait asseoir sur le lit et m'avait expliqué qu'il avait besoin de conseils au sujet de Brenna, une fille de notre classe, avec laquelle il sortait de temps à autre. Il m'avait fait le regard qui clame : « Je sais que je suis mignon et je compte d'ailleurs me servir de mes atouts immédiatement », et il m'avait dit que Jeb avait trop de chance de sortir avec une fille aussi géniale que moi.

— Ah ouais, vraiment ? avais-je rétorqué avec un petit rire moqueur.

— Pourquoi tu réagis comme ça ? Ne me dis pas qu'il y a un problème entre vous ! Vous allez tellement bien ensemble !

— Mmmmm… C'est pour ça que Jeb est en haut, occupé à faire je ne sais quoi, alors que je suis ici avec toi…

Pourquoi je suis ici avec toi d'ailleurs ? m'étais-je demandé. *Et qui a fermé la porte ?*

Charlie m'avait assaillie de questions, tout en me témoignant sa sympathie, et, quand je m'étais mise à pleurer, il s'était rapproché pour me consoler. J'avais protesté, mais il avait collé sa bouche contre la mienne, et j'avais fini par céder. Un type me prêtait enfin attention, un type mignon et charismatique en plus, qu'est-ce que ça pouvait bien faire s'il n'était pas sincère ?

Pourtant, ça m'avait fait quelque chose. Je me suis repassé ce moment des centaines de fois, et c'était justement parce que je n'avais jamais été dupe de Charlie que ce souvenir me tuait. Qu'est-ce qui m'avait pris ? On traversait peut-être une crise, Jeb et moi, mais je l'aimais. C'était le cas au moment où je l'avais trompé, et c'était encore le cas.

Sauf qu'hier, en ne se pointant pas au Starbucks, Jeb m'avait envoyé un message on ne peut plus clair : lui ne m'aimait plus.

2

Une boule de neige est venue s'écraser sur la vitre de ma fenêtre, mettant un terme à ma séance d'apitoiement. Il m'a fallu près d'une minute pour réussir à me tirer de ma rêverie. À la deuxième boule, j'ai redressé la tête et aperçu Tegan et Dorrie, aussi emmitouflées l'une que l'autre, qui avaient grimpé sur une congère. Elles m'ont fait signe de leurs mains gantées, et Dorrie m'a demandé de descendre – je n'entendais pas sa voix, mais ce n'était pas nécessaire pour comprendre le message.

Je me suis levée, et l'étrange légèreté de ma tête m'a rappelé mon suicide capillaire. Chiotte. J'ai fouillé ma chambre du regard : je me suis arrêtée sur mon jeté de lit. Je l'ai enroulé autour de mon crâne et de mes épaules, comme une capuche. Serrant bien le tissu sous mon menton, je me suis approchée de la fenêtre pour l'ouvrir.

— Ramène tes fesses sur la piste de danse ! a crié Dorrie, que j'entendais très distinctement, maintenant.

— Ça n'est pas une piste de danse. C'est de la neige. De la neige très froide.

— C'est magnifique, a ajouté Tegan. Viens voir… (Elle a marqué une pause en me considérant d'un regard interrogateur.) Addie ? Pourquoi as-tu une couverture sur la tête ?

— Rentrez, ai-je répondu en faisant un grand signe de la main. Je suis déprimée. Je vais vous déprimer.

— Pas de ça avec nous, a rétorqué Dorrie. Primo : tu nous as appelées en disant que tu étais en pleine crise. Deuxio : nous sommes là. Maintenant, descends profiter des merveilles que la nature nous réserve.

— Je passe mon tour sur ce coup.

— Ça te remontera le moral, je te le promets.

— Impossible, désolée.

Dorrie a levé les yeux au ciel.

— Quel bébé ! Viens, Tegan.

Elles ont disparu de mon champ de vision, et deux secondes plus tard la sonnette de la porte d'entrée a résonné. J'ai ajusté la couverture façon turban. Je me suis assise au bord du lit et je me suis composé l'expression d'un nomade perdu dans le désert : les yeux dans le vague, l'affliction. Après tout, ma situation n'était pas loin d'être aussi désespérée.

J'ai entendu mes parents questionner mes copines dans l'entrée – « Joyeux Noël ! Vous avez fait tout ce chemin malgré la neige ? » Elles prenaient, malheureusement, le temps de répondre. Les échos joyeux de leur conversation ont renforcé ma mauvaise humeur. Tant et si bien que j'ai failli hurler : « Eh, les filles, je suis en haut ! C'est moi que vous êtes venues consoler ! » J'ai enfin entendu le bruit de leurs pas, étouffés par leurs chaussettes, dans l'escalier. Dorrie est entrée en premier.

— Pfou… a-t-elle soufflé en relevant ses cheveux et en s'éventant. Si je ne m'assieds pas, je vais littéralement *plotz*.

Dorrie adorait dire : « Je vais *plotz*. » C'était son expression favorite ; c'était le terme yiddish pour « exploser ». Elle adorait aussi les bagels, le pastrami et dire qu'elle était originaire du Vieux Continent – c'est là que vivaient les Juifs avant de venir en Amérique, je crois. Dorrie était très fière de sa judéité, au point de qualifier sa chevelure frisée d'« afro-juive ». La première fois qu'elle l'avait dit devant moi, j'avais été choquée. Maintenant j'en riais. Ça résumait assez bien Dorrie. Tegan est arrivée juste après, les joues écarlates.

— La vache, je suis couverte de sueur, a-t-elle annoncé en déboutonnant la chemise en flanelle qu'elle portait sur son tee-shirt. Ça m'a tuée de venir jusqu'ici.

— M'en parle pas, a ajouté Dorrie. J'ai l'impression qu'il y a dix mille kilomètres entre chez moi et chez toi !

— Moins de dix mètres, tu veux dire ? a demandé Tegan avant de se tourner vers moi. Qu'est-ce que t'en penses ? C'est bien une dizaine de mètres, non ?

Je l'ai fusillée du regard. On n'était pas là pour discuter d'un sujet aussi ennuyeux que la distance séparant leurs deux maisons.

— C'est quoi, cette coiffure avec une couverture ? m'a questionnée Dorrie en se laissant tomber sur le lit, à côté de moi.

— Rien, ai-je répondu (il se trouve que je ne voulais pas non plus aborder ce sujet de conversation). J'ai froid, c'est tout.

— C'est ça…

Elle a tiré d'un coup sur le tissu, puis a poussé un cri d'horreur contenu :

— Ohhhhh !... Qu'est-ce que tu as fait ?

— Je te remercie pour la réaction, ai-je répliqué sèchement. Tu es aussi sympa que ma mère.

— Waouh, a dit Tegan. Franchement, waouh...

— Je suppose que c'est la cause de ta déprime ? a demandé Dorrie.

— Pas vraiment, non.

— Tu es sûre ?

— Dorrie... l'a grondée Tegan. C'est... mignon, Addie. Et très courageux.

— Si on qualifiait ma coupe de cheveux de courageuse, je retournerais illico chez le coiffeur pour exiger qu'on me rembourse, a rétorqué Dorrie en ricanant.

— Va-t'en, lui ai-je dit en la repoussant des pieds.

— Eh !

— Tu es méchante avec moi alors que je suis au fond du gouffre. Tu n'es plus autorisée à rester sur ce lit.

J'ai donné un coup plus fort, et elle est tombée.

— Je crois que tu m'as cassé le coccyx, a-t-elle gémi.

— Si c'est le cas, tu devras t'asseoir sur une bouée.

— Je ne m'assiérai pas sur une bouée.

— Je te préviens, c'est tout.

— Comme je ne suis pas méchante, moi... je peux ? a demandé Tegan en indiquant le lit d'un mouvement de la tête.

— Pourquoi pas...

Tegan a pris la place de Dorrie, et je me suis allongée pour poser la tête sur ses genoux. Elle m'a caressé les cheveux, timidement d'abord, puis avec de plus en plus d'assurance.

— Alors… qu'est-ce qui t'arrive ?

Aucun mot n'est sorti de ma bouche. Mon cœur balançait entre l'envie et la crainte de parler. Elles avaient cru que mes cheveux étaient le problème ? La raison de mon malheur était tellement plus grave que je ne savais pas comment l'expliquer sans éclater en sanglots.

— Oh, non, a dit Dorrie. Oh, *bubbellah.*

La souffrance devait se lire sur mon visage. La main de Tegan s'est immobilisée.

— Il s'est passé quelque chose avec Jeb ?

J'ai acquiescé.

— Tu l'as vu ? a demandé Dorrie.

J'ai secoué la tête.

— Tu lui as parlé ?

Nouveau mouvement de tête.

Les yeux de Dorrie ont glissé vers Tegan, et j'ai senti qu'elles échangeaient un regard lourd de sens. Tegan m'a doucement repoussée pour que je m'asseye.

— Raconte, Addie.

— Je suis débile… ai-je murmuré.

Tegan a posé sa main sur ma cuisse pour me signifier qu'elles étaient là et que tout irait bien. Dorrie s'est penchée pour appuyer son menton sur mon genou.

— Il était une fois… m'a-t-elle encouragée.

— Il était une fois Jeb et Addie, ai-je dit. Ils étaient amoureux. Mais, un jour, Addie a tout foutu en l'air.

— À cause de Charlie, a complété Dorrie.

— On sait bien, est intervenue Tegan en me caressant le dos. Mais c'est arrivé la semaine dernière. À quoi est due la nouvelle crise ?

— Puisque ce n'est pas à cause de tes cheveux.

Elles ont attendu ma réponse. Longtemps.

— J'ai envoyé un mail à Jeb, ai-je avoué.

— Non… a lâché Dorrie en se frappant le front sur mon genou.

— Je croyais que tu lui laissais le temps de panser ses blessures, a repris Tegan. Tu avais dit que la meilleure chose à faire était de rester à l'écart, même si c'était très dur. Tu te souviens ?

J'ai haussé les épaules.

— Et je ne voudrais pas aggraver ta déprime, mais il me semblait que Jeb sortait avec Brenna maintenant, a ajouté Dorrie.

Je l'ai foudroyée du regard, elle s'est aussitôt reprise :

— Enfin, bien sûr qu'il ne sort pas avec elle. Votre rupture ne remonte qu'à une semaine après tout. Mais il lui plaît, non ? Et, aux dernières nouvelles, il ne la repoussait pas vraiment…

— Brenna est une peste, ai-je lâché. Je hais Brenna.

— Je croyais que Brenna était retournée avec Charlie, est intervenue Tegan.

— Évidemment qu'on déteste Brenna, a dit Dorrie. Enfin, ce n'est pas vraiment la question… Et c'est nous qui voulions qu'elle retourne avec Charlie, a-t-elle ajouté en se tournant vers Tegan, mais ça n'a pas marché.

— Ah…

Tegan avait l'air complètement perdue.

— Tu ne te souviens pas que Brenna se la ramenait la veille des vacances de Noël ? lui ai-je demandé en soupirant. Elle n'arrêtait pas de répéter qu'elle allait voir Jeb pendant les vacances.

— Je croyais qu'on en avait conclu qu'elle cherchait juste à rendre Charlie jaloux ?

— En effet, lui a répondu Dorrie, n'empêche. On ne peut pas être sûres qu'il n'y avait pas vraiment anguille sous roche…

— Ah oui, a dit Tegan, je pige. Jeb n'est pas du genre à jouer ce style de jeu.

— Je n'ai aucune envie que Jeb joue avec qui que ce soit, encore moins avec Brenna, me suis-je renfrognée. Et ses dreadlocks de blondasse.

Dorrie a soufflé bruyamment par le nez.

— Addie, je peux te dire quelque chose qui ne te fera pas plaisir ?

— J'aimerais autant que tu t'abstiennes.

— Ça ne l'empêchera pas de te le dire, m'a prévenue Tegan.

— Je sais bien, j'exprimais juste mon opinion.

— Ce sont les vacances, a lâché Dorrie. Les gens se sentent seuls pendant les vacances.

— Je ne me sens pas seule !

— Bien sûr que si, Addie. Rien de pire que les vacances pour renforcer le sentiment de détresse. Et pour toi, la punition est double, parce que aujourd'hui tu aurais dû fêter tes « un an » avec Jeb, non ?

— Hier. C'était le 24 décembre.

— Oh, Addie, je suis désolée, a dit Tegan.

— Vous croyez que, dans le monde entier, la veille de Noël, des couples se forment ?

C'était la première fois que je me posais cette question.

— À cause de la magie de Noël… ai-je continué. Sauf que ça ne dure pas, et qu'ensuite ça devient tout pourri…

— Tu lui as donc envoyé un mail, a repris Dorrie d'un ton signifiant : « Ne nous éloignons pas du sujet. » Pour lui souhaiter un joyeux Noël ou un truc dans le genre ?

— Pas exactement.

— Qu'est-ce que tu lui as écrit, alors ?

J'ai secoué la tête.

— Je ne peux pas vous dire.

— Addie, a insisté Dorrie.

— Non, non, non, ai-je rétorqué en me levant du lit. Mais je vais vous le montrer, vous allez le lire vous-mêmes.

3

❄❄❄

Elles m'ont suivie jusqu'à mon bureau, où trônait mon portable. Je l'avais décoré avec des autocollants de chats ; j'aurais dû les enlever – c'était Jeb qui me les avait offerts – mais j'étais incapable de m'y résoudre. J'ai allumé l'ordinateur, puis lancé l'application Internet. Je me suis connectée à mon compte Hotmail, j'ai ouvert le dossier « Archives » et placé le curseur sur le mail de la honte. Mon estomac s'est noué. *Un moka ?* indiquait l'objet du message. Dorrie s'est glissée sur la chaise de bureau en se serrant pour que Tegan puisse aussi s'asseoir. Elle a cliqué sur la souris, et le mail que j'avais rédigé deux jours plus tôt est apparu à l'écran :

Salut, Jeb. Je tremble en tapant ces mots. Ce qui est dingue. Comment est-ce que je peux avoir peur de t'écrire à TOI ? J'ai déjà effacé tellement de versions de ce message que je me dégoûte. Je me suis donc interdit les retours en arrière. Pourtant, il y a une chose que *j'aimerais* pouvoir effacer – et tu sais laquelle. Sortir avec Charlie était la plus grosse erreur de ma vie. Je suis désolée. Je suis vraiment désolée. Je te l'ai déjà répété des centaines de fois, mais même si je continuais indéfiniment, ça ne suffirait pas.

Dans les films, quand le héros fait un truc débile, comme tromper sa copine, il dit toujours : « Ce n'était rien ! Elle ne signifie rien pour moi ! » Je sais, moi, que ce n'était pas rien. Je t'ai blessé, et je n'ai aucune excuse. Mais Charlie, lui, ne signifie rien. D'ailleurs, il ne mérite pas de figurer dans ce mail. Il m'a sorti son numéro, c'était... c'était n'importe quoi. On s'était disputés pour des raisons idiotes, toi et moi, et j'avais besoin d'être consolée, je crois, ou alors j'étais simplement en colère, et ça me faisait du bien qu'on s'occupe de moi. Je n'ai pas pensé à toi. Je n'ai pensé qu'à moi.

Ce n'est vraiment pas facile de t'écrire tout ça. Je me sens très nulle. Alors voilà ce que je veux te dire : j'ai tout foutu en l'air, mais ça m'a servi de leçon. J'ai changé, Jeb.

Tu me manques. Je t'aime. Si tu acceptes de me laisser une autre chance, je te donnerai mon cœur tout entier. Je sais que ça fait cucul, mais c'est la vérité. Tu te souviens du 24 décembre, il y a un an ? Je sais que oui. Moi, je n'arrête pas d'y penser. De penser à toi. À nous.

Viens prendre un moka de Noël avec moi, Jeb. À quinze heures, au Starbucks, comme l'année dernière. C'est mon jour de congé, demain, mais je t'attendrai, dans l'un des fauteuils en velours violet. On pourra parler... et plus, j'espère.

Je sais que je ne mérite rien, mais si tu veux de moi, je suis à toi.

Bisous,

Addie

J'ai tout de suite su que Dorrie avait terminé sa lecture, parce qu'elle s'est tournée vers moi en se mordant la lèvre inférieure. Tegan, elle, a poussé un *oh !* apitoyé, avant de se lever et de me serrer dans ses bras. J'ai éclaté en sanglots, ou plus exactement j'ai été secouée de spasmes, ce qui m'a totalement prise au dépourvu.

— Ma puce ! s'est écriée Tegan.

Je me suis essuyé le nez sur ma manche et j'ai inspiré profondément.

— C'est bon, ai-je dit en m'efforçant de sourire à travers mes larmes. Je vais mieux.

— Pas du tout, m'a reprise Tegan.

— Non, pas du tout, ai-je reconnu avant de craquer de nouveau.

Les larmes étaient chaudes et salées, et je pensais qu'elles allaient faire fondre mon cœur, mais non, elles l'ont juste ramolli sur les bords.

Prendre une profonde inspiration.

Prendre une profonde inspiration.

Prendre une profonde inspiration et contrôler les tremblements.

— Il a répondu ? a demandé Tegan.

— À minuit… Pas hier soir, la veille du 24…

J'ai dégluti avant d'essuyer de nouveau mon nez et de reprendre :

— J'avais vérifié mes mails toutes les heures après lui avoir écrit… et rien. Alors je me disais : « Laisse tomber, tu es nulle, c'est normal qu'il n'ait pas répondu. » Mais, à minuit, j'ai décidé de vérifier une dernière fois…

Elles ont acquiescé. Toutes les filles de la planète ont déjà « vérifié » leurs mails une dernière fois.

— Et alors ? a insisté Dorrie.

Je me suis penchée pour déplacer la souris. La réponse de Jeb est apparue.

Addie… avait-il écrit. Toute la complexité de Jeb était contenue dans ces trois petits points. Je l'imaginais en train de réfléchir, les mains suspendues au-dessus du clavier. Il avait fini – en tout cas c'est l'image que je m'en faisais – par taper : *On verra*.

— « On verra » ? a lu Dorrie. C'est tout ce qu'il a répondu ? « On verra » ?

— Je sais. Du Jeb tout craché.

— Mmmm… a confirmé Dorrie.

— Je ne pense pas que son « On verra » soit mauvais signe, est intervenue Tegan. Il ne savait sans doute pas quoi répondre. Il est dingue de toi, Addie. Je te parie que quand il a découvert ton mail son cœur a fait un bond. Ensuite, comme c'est Jeb…

— Comme c'est un mec, l'a reprise Dorrie.

— Il s'est dit : « Attends, sois prudent. »

— Arrête, l'ai-je suppliée.

C'était trop pénible.

— Peut-être que c'est ce que sa réponse signifiait, a-t-elle poursuivi nonobstant. Qu'il allait y réfléchir. Je pense que c'est bon signe, Addie !

— Tegan…

J'ai vu un doute traverser son visage. Elle est passée de l'espoir à l'incertitude, puis à l'inquiétude. Ses yeux se sont posés sur mes cheveux roses. Dorrie, qui est plus rapide à la comprenette dans ces cas-là, m'a demandé :

— Tu l'as attendu combien de temps ?

— Deux heures.

Elle a fait un geste en direction de ma nouvelle coupe.

— Et au bout de deux heures, tu…

— Oui. Chez *Super Sam*, de l'autre côté de la rue.

— Chez *Super Sam* ? a répété Dorrie. Tu es allée te faire coiffer dans un salon qui offre des sucettes et des ballons ?

— Ils ne m'en ont pas donné, ai-je répondu d'une voix maussade. Ils étaient sur le point de fermer, ils ne voulaient même pas me prendre.

— Je ne pige pas, a lâché Dorrie. Tu sais combien de nanas tueraient pour des cheveux comme les tiens ?

— Si elles n'ont pas peur de se salir les mains, il leur suffirait de fouiller dans la poubelle de *Super Sam*.

— Moi, j'aime de plus en plus le rose, a dit Tegan. Et je ne dis pas ça pour te faire plaisir.

— Bien sûr que si, lui ai-je répondu. De toute façon, on s'en fout. C'est Noël, et je suis seule…

— Tu n'es pas seule, m'a reprise Tegan.

— … et je serai *toujours* seule…

— Comment peux-tu dire ça alors qu'on est là, toutes les deux ?

— Et Jeb… (Ma voix s'est étranglée.)… Jeb ne m'aime plus.

— Je n'en reviens pas qu'il ne soit pas venu ! s'est exclamée Tegan. Ça ne lui ressemble pas du tout. Même s'il ne voulait pas que vous vous remettiez ensemble… il aurait pu se pointer malgré tout, non ?

— Mais pourquoi ne veut-il pas qu'on se remette ensemble ? Pourquoi ?

— Tu es sûre qu'il n'y a pas eu un malentendu ? a-t-elle insisté.

— Tegan… est intervenue Dorrie.

— Quoi ? a répondu Tegan avant de se tourner vers moi. Tu es absolument certaine qu'il n'a pas essayé de t'appeler ou un truc dans le genre ?

J'ai pris mon téléphone sur ma table de nuit pour le déposer dans sa main.

— Regarde si tu veux.

Elle a ouvert mon journal des appels et a lu les noms à voix haute :

— Moi, Dorrie, Maison, Maison, Maison encore…

— Ma mère s'inquiétait parce que j'étais partie depuis longtemps.

Tegan a froncé les sourcils.

— 804-555-3631 ? C'est qui ?

— Une erreur. J'ai décroché, mais il n'y avait personne au bout du fil.

Elle a appuyé sur une touche avant de poser le portable contre son oreille.

— Qu'est-ce que tu fais ? lui ai-je demandé.

— Je rappelle. Et si Jeb avait essayé de t'appeler du téléphone de quelqu'un d'autre ?

— Ce n'est pas le cas.

— 804, c'est l'indicatif de la Virginie, a dit Dorrie. Est-ce qu'il a été forcé de partir en Virginie ?

— Non, ai-je répondu d'une voix ferme.

C'était Tegan qui se faisait des illusions, pas moi. Et pourtant, lorsqu'elle a brandi un doigt, mon pouls s'est accéléré.

— Euh, salut ! Puis-je savoir qui appelle ?

— Toi, abrutie ! a lancé Dorrie.

Tegan a rougi.

— Désolée, a-t-elle soufflé dans le combiné. Je veux dire, euh… puis-je savoir à qui je parle ?

Dorrie a patienté une demi-seconde environ.

— Alors ? C'est qui ?

Tegan a agité la main d'un mouvement signifiant : *Tais-toi, tu me gênes.*

— Moi ? a-t-elle demandé à son mystérieux interlocuteur. Non, parce que c'est n'importe quoi. Si j'avais balancé mon portable dans la neige, pourquoi…

Tegan a éloigné le téléphone de son oreille. Un tumulte de voix enfantines s'est élevé dans le combiné.

— Quel âge avez-vous ? a demandé Tegan. Eh ! Arrêtez de faire circuler cet appareil. Je veux seulement savoir… Excuse-moi, pourrais-tu me repasser…

Sa mâchoire s'est décrochée.

— … Non ! Certainement pas. Je raccroche maintenant, et je crois que vous feriez mieux d'aller… jouer à la balançoire.

Elle a raccroché.

— Vous y croyez, vous ? s'est-elle indignée. Elles ont huit ans, huit ans ! Et elles voulaient que je leur explique comment on roule une pelle. Elles ont besoin qu'on leur remette les idées en place, si vous voulez mon avis.

Dorrie et moi avons échangé un regard.

— C'est une gamine de huit ans qui a appelé Addie ? a demandé Dorrie.

— Pas une seule. Elles étaient une tripotée, et elles piaillaient toutes en même temps. Pia, pia, pia… J'espère qu'on n'était pas aussi pénibles au même âge.

— Tegan ? Tu ne nous aides pas beaucoup, là, chérie. As-tu réussi à découvrir pourquoi cette tripotée de gamines avait appelé Addie ?

— Ah, désolée. Je ne crois pas que ce soient elles qui ont téléphoné, elles m'ont expliqué que ce n'était pas leur téléphone. Elles l'ont trouvé il y a quelques heures. Une fille l'avait apparemment balancé dans la neige.

— Tu peux répéter ? s'est exclamée Dorrie.

J'avais les paumes moites. Je n'aimais pas du tout cette histoire de fille.

— Ouais, sois sympa, ai-je ajouté, explique-nous un peu.

— Eh bien, je ne suis pas certaine qu'elles savaient très bien de quoi elles parlaient, mais elles m'ont raconté que cette fille…

— Celle qui a jeté le portable ? l'a interrompue Dorrie.

— Oui. Cette fille était apparemment avec un type, et, d'après les gamines, ils étaient « trop amoureux », parce qu'elles ont vu le type, je les cite, « embrasser la fille à pleine langue ». Ensuite, elles m'ont demandé de leur apprendre à rouler une pelle !

— Ça ne s'apprend pas au téléphone ! s'est exclamée Dorrie.

— Surtout qu'elles ont huit ans ! Ce sont des bébés ! Elles n'ont pas besoin de savoir comment on roule une pelle, un point c'est tout. « Embrasser à pleine langue » ? J'hallucine !

— Euh… Tegan ? l'ai-je interpellée. Le type, c'était Jeb ?

Elle a aussitôt cessé de glousser. En se mordant la lèvre, elle a pressé la touche *Bis*.

— Je n'ai pas envie de plaisanter, a-t-elle lancé sans autre préambule.

Elle a écarté le combiné de son oreille en plissant les paupières, puis elle l'a rapproché.

— Non ! Chuuuuut ! J'ai une question, une seule. Le type, avec la fille… il ressemblait à quoi ?

J'entendais leurs petites voix enfantines à l'autre bout du fil, mais je ne distinguais pas les mots. J'ai observé l'expression de Tegan en me rongeant le pouce.

— Mmmm, d'accord… Vraiment ? Oh ! c'est trop mignon !

— Tegan, ai-je lâché entre mes dents serrées.

— Je dois y aller, salut ! Impossible qu'il s'agisse de Jeb, il avait des cheveux bouclés… Youpi ! Affaire classée !

— Pourquoi as-tu dit : « Oh, c'est trop mignon ! » ? lui a demandé Dorrie.

— Elles m'ont raconté qu'il avait fait quelques pas de danse après avoir embrassé la fille qui avait balancé son portable, et qu'il avait brandi son poing en hurlant : « Jubilé ! »

Dorrie l'a regardée comme si elle avait complètement perdu la boule.

— Quoi ? Tu n'aimerais pas qu'un mec crie « Jubilé ! » après t'avoir embrassée ?

— Peut-être qu'ils venaient de manger des cerises, ai-je suggéré.

Elles m'ont dévisagée.

— Des Cerises Jubilé, ai-je précisé avec un mouvement des mains pour leur signifier qu'elles étaient vraiment lentes à la comprenette.

— Non, a repris Dorrie à l'intention de Tegan, je n'aimerais pas qu'un mec crie « Jubilé » à propos de ma pomme.

Tegan s'est mise à glousser, mais elle s'est de nouveau interrompue en voyant que ce n'était pas mon cas.

— Ce qui compte, c'est que ce n'était pas Jeb, a-t-elle répété. C'est rassurant, non ?

Je suis restée muette. Je n'avais aucune envie d'apprendre que Jeb embrassait des inconnues en Virginie, mais ça ne m'aurait pas dérangée que les « Obsédées de la pelle » aient des nouvelles de Jeb à nous communiquer. Disons que j'aurais préféré que le type qu'elles avaient vu n'ait pas les cheveux bouclés et qu'au lieu d'emballer une fille il se soit retrouvé coincé dans une sanisette, ou un truc dans le genre. Ça, ça aurait été une bonne nouvelle, parce que l'absence de Jeb aurait eu une explication. Je ne souhaitais pas pour autant que Jeb soit enfermé dans une sanisette, évidemment…

— Addie, tu te sens bien ? m'a demandé Tegan.

— Est-ce que tu crois à la magie de Noël ? lui ai-je répliqué.

— Hein ?

— Moi, non, a répondu Dorrie. Parce que je suis juive.

— Ouais, je sais. Laissez tomber, je suis débile.

— Dorrie, est-ce que tu crois à la magie de Hanoukka ? lui a demandé Tegan.

— Quoi ?

— Je sais ! Les anges ! a-t-elle insisté. Est-ce que tu crois aux anges ?

Il n'y avait pas que Dorrie qui la regardait bizarrement.

— C'est toi qui as commencé, m'a fait remarquer

Tegan. La magie de Noël, la magie de Hanoukka… Pourquoi pas la magie des anges ?

Dorrie a ricané. Moi non, peut-être parce que j'avais envie d'y croire un peu, même si je n'osais pas me l'avouer.

— L'année dernière, la veille de Noël, après notre premier baiser au Starbucks, Jeb est venu à la maison, et, avec mes parents et Chris, on a regardé *La vie est belle*, ai-je repris.

— Je l'ai vu aussi, a enchaîné Dorrie. C'est bien dans ce film que James Stewart veut sauter d'un pont parce que sa vie est horrible ?

— Et qu'un ange le convainc de ne pas le faire, a ajouté Tegan.

— En vérité, ce n'est pas encore un ange, a souligné Dorrie. Il doit réussir à sauver James Stewart pour en devenir un, et l'aider à réaliser que sa vie mérite d'être vécue.

— Et à la fin tout s'arrange ! a conclu Tegan. Je m'en souviens. Dans la dernière scène, une clochette argentée du sapin de Noël se met à tinter toute seule, *ding, ding, dong ! ding, ding, dong !*

Dorrie a éclaté de rire.

— « Ding, ding, dong » ? Tu me fais halluciner, Tegan.

Celle-ci a poursuivi, sans se démonter :

— Et la petite fille de James Stewart dit : « La maîtresse raconte que, chaque fois qu'une cloche sonne, un ange naît. »

Elle a poussé un soupir de contentement.

— La magie de Noël, la magie de Hanoukka, *La vie est belle…* Tu pourrais nous expliquer le rapport ? lui a demandé Dorrie.

— Tu oublies les anges, lui a rétorqué Tegan.

Je me suis rassise sur le lit.

— Je sais que j'ai complètement déconné et que j'ai fait beaucoup, beaucoup, beaucoup de peine à Jeb. Mais je suis sincèrement désolée. Ça ne compte pas ?

— Bien sûr que si, m'a répondu Tegan.

J'ai senti qu'une boule se formait dans ma gorge. Je n'osais pas regarder Dorrie, parce que je savais qu'elle lèverait les yeux au ciel.

— Alors si c'est vrai…

Les mots avaient du mal à sortir.

— … où est mon ange gardien ?

4

❄❄❄

— Laisse tomber les anges, a lâché Dorrie, c'est n'importe quoi.

— Non, au contraire, a rétorqué Tegan en lui donnant une bourrade. Tu joues les rabat-joie, mais personne n'est dupe.

— Je ne suis pas rabat-joie, je suis réaliste.

Tegan est venue s'asseoir à côté de moi.

— Le fait que Jeb ne t'ait pas appelée ne signifie rien du tout. Peut-être qu'il est parti à la réserve voir son père. Il n'avait pas dit que les portables captaient mal là-bas ?

— Il est allé à la réserve, mais il en est revenu. Je le sais parce que l'affreuse Brenna est, comme par hasard, venue au Starbucks lundi, et, comme par hasard toujours, elle a raconté le programme de Jeb pour les vacances pendant qu'elle faisait la queue. Elle était avec Meadow et n'arrêtait pas de répéter qu'elle avait « trop les boules » qu'il ne soit pas là, mais qu'il revenait en train le 24 et qu'elle irait peut-être l'attendre à la gare.

— C'est ce qui t'a poussée à écrire ton mail ? m'a demandé Dorrie. D'avoir entendu Brenna ?

— Ce n'est pas ce qui m'y a poussée, mais ça a pu y contribuer.

Je n'aimais pas du tout la façon que Dorie avait de me toiser.

— Et alors ?

— Peut-être qu'il a été coincé par la tempête, a proposé Tegan.

— Encore à cette heure ? Peut-être aussi qu'il a balancé son portable dans la neige comme cette fille. Ce qui expliquerait qu'il n'ait pas appelé… Et il n'a pas d'accès à Internet, parce qu'il a été forcé de construire un igloo pour passer la nuit et qu'il est privé d'électricité. C'est ce qui s'est produit, d'après toi ?

— Peut-être… a répondu Tegan d'une petite voix.

— Je n'arrive pas à comprendre, ai-je dit. Il n'est pas venu, il n'a pas appelé, il n'a pas écrit. Il n'a rien fait.

— Et s'il avait eu besoin de te briser le cœur comme tu as brisé le sien ?

— Dorrie ! me suis-je écriée en sentant mes yeux se remplir de nouveau de larmes. Tu es dégueulasse de me balancer une chose pareille !

— Peut-être, mais, Addie… tu lui as vraiment brisé le cœur.

— Je sais ! Je viens de le dire !

— Tu lui as brisé le cœur définitivement. Comme Chloé lorsqu'elle a quitté Stuart.

Chloé Newland et Stuart Weintraub étaient célèbres au lycée : elle pour l'avoir trompé, lui pour être incapable de l'oublier. Je vous laisse deviner où leur rupture a eu lieu. Au Starbucks, évidemment. Chloé était là-bas avec un autre type – ils s'étaient enfermés dans les toilettes… la classe ! –, Stuart s'était pointé, et j'avais eu la chance d'être aux premières loges.

— La vache, Dorrie… ai-je lâché.

Mon cœur battait à tout rompre. J'avais été furieuse contre Chloé ce jour-là. Je l'avais trouvée cruelle de tromper son copain sans aucun scrupule. Je lui avais demandé de partir, et ma patronne, Christina, m'avait prise entre quat'z'yeux pour m'expliquer qu'à l'avenir je n'avais pas à virer nos clients, quand bien même il s'agissait de pouffes insensibles.

— Tu es en train de dire… tu es en train de dire que je suis comme Chloé ?

— Bien sûr que non ! est intervenue Tegan. Elle ne dit pas que tu es une Chloé, simplement que Jeb est un Stuart, hein, Dorrie ?

Elle n'a pas répondu immédiatement. Je savais qu'elle avait un faible pour Stuart, comme toutes les filles de notre classe. Il était tellement chouette. Chloé l'avait traité comme un moins-que-rien. Si Dorrie prenait cette affaire autant à cœur, c'était parce que Stuart était le seul autre Juif du lycée – j'imagine que ça créait un lien particulier entre eux. J'ai voulu me persuader que c'était pour cette raison qu'elle avait amené Chloé et Stuart sur le tapis. Qu'elle n'avait jamais eu l'intention de me comparer à Chloé, qui, en plus d'être une pouffe insensible, portait un rouge à lèvres qui jurait avec son teint.

— Pauvre Stuart, a repris Tegan. J'aimerais bien qu'il trouve quelqu'un. J'aimerais qu'il trouve une fille qui le mérite.

— Ouais, moi aussi, j'aimerais que Stuart vive le grand amour, ai-je renchéri. Vive Stuart ! Mais, Dorrie, je te repose la question : es-tu en train de me comparer à Chloé ?

— Non, a-t-elle répondu en fermant les yeux et en se frottant le front comme si elle avait mal au crâne. Adeline, a-t-elle ajouté en rouvrant les paupières pour affronter mon regard, je t'aime. Je t'aimerai toujours, mais…

J'ai senti des frissons me parcourir la colonne vertébrale, parce que toute phrase qui commence par « je t'aime, mais… » ne peut pas bien se finir.

— Reconnais que tu te complais dans les psychodrames. C'est notre lot à toutes, bien sûr, je ne prétends pas le contraire. Mais chez toi ça confine à l'art. Et parfois…

Je me suis levée en m'enveloppant la tête dans la couverture et en la serrant sous mon menton.

— Oui ?

— Parfois tu te soucies davantage de toi que des autres.

— Tu es donc en train de dire que je suis une Chloé ! Que je suis une pouffe insensible et égocentrique !

— Pas insensible, a-t-elle aussitôt réagi. Tu n'es jamais insensible.

— Et tu n'es pas une… a dit Tegan en baissant la voix. Tu sais… Pas du tout !

Il ne m'a pas échappé qu'aucune d'entre elles n'avait contesté, en revanche, l'adjectif « égocentrique ».

— Je rêve ! Je traverse une crise personnelle, et mes deux meilleures amies s'unissent contre moi !

— On n'est pas contre toi ! s'est indignée Tegan.

— Désolée, je ne t'entends pas, je suis trop égocentrique pour ça.

— Non, tu ne nous entends pas, parce que tu as une couverture sur les oreilles.

Elle s'est approchée de moi pour ajouter :

— Je dis simplement que…

— La, la, la ! Je n'entends rien !

— … que tu ne devrais pas te remettre avec Jeb à moins d'en être sûre et certaine.

Mon cœur n'avait jamais battu aussi vite. J'étais au chaud dans ma chambre, avec mes deux meilleures amies, et je redoutais ce que l'une d'entre elles allait m'assener.

— Sûre de quoi ? ai-je réussi à articuler.

Dorrie a rabattu la couverture.

— Dans ton mail, tu écris que tu as changé, a-t-elle commencé prudemment. Je me demande si c'est vraiment le cas. Si tu t'es posé la question de savoir comment il fallait que tu t'amendes.

Ma vision s'est brouillée. J'étais certainement en train de faire un malaise. Je n'allais pas tarder à m'évanouir. En tombant, je me cognerais la tête, et je mourrais.

— Va-t'en ! ai-je crié à Dorrie en lui indiquant la porte.

Tegan s'est recroquevillée sur le lit.

— Addie… a supplié Dorrie.

— Je suis sérieuse : va-t'en ! Est-ce qu'on s'est remis ensemble, Jeb et moi ? Non ! Parce qu'il n'est pas venu. Alors qu'est-ce que ça peut bien faire que j'aie ou non vraiment changé ? Hein ?

— Tu as raison, a dit Dorrie en s'affaissant, c'était nul de te balancer ça. Et ce n'était pas le bon moment.

— Tu m'étonnes ! Tu es censée être mon amie !

— Elle l'est, est intervenue Tegan. Vous ne pourriez pas arrêter deux secondes, toutes les deux ?

En me détournant, j'ai aperçu mon reflet dans le miroir de ma coiffeuse. L'espace d'une seconde, je ne me suis pas reconnue. Il y avait les cheveux, l'expression furieuse, le regard paniqué. Je me suis demandé qui était cette cinglée.

Une main s'est posée sur mon épaule.

— Addie, je suis désolée, a murmuré Dorrie. J'ai parlé sans réfléchir, comme toujours. J'ai…

Elle s'est interrompue, et, cette fois, je ne l'ai pas encouragée à poursuivre.

— Je suis désolée, a-t-elle répété.

J'ai enfoncé les doigts dans la couverture. Au bout de quelques longues secondes, j'ai hoché la tête. *Mais tu es vraiment nulle*, ai-je ajouté intérieurement, même si je ne le pensais pas. Elle m'a serré l'épaule une nouvelle fois.

— On devrait peut-être y aller, hein, Tegan ?

— J'imagine, a répondu celle-ci en jouant avec l'ourlet de sa chemise. Seulement, je n'ai pas envie qu'on finisse la soirée sur une note négative. C'est quand même Noël.

— Trop tard… ai-je marmonné.

— Mais non ! a dit Dorrie. On est bien réconciliées, Addie, hein ?

— Je ne parlais pas de ça.

— J'ai une bonne nouvelle à vous annoncer ! a lancé Tegan. Une bonne nouvelle qui n'a rien à voir avec un chagrin d'amour ou une dispute. Vous voulez l'entendre ? nous a-t-elle demandé avec un regard suppliant.

— Bien sûr, ai-je répondu. Moi, en tout cas. Je ne peux pas me prononcer pour Miss Rabat-Joie.

— J'adorerais entendre une bonne nouvelle, a ajouté Dorrie. C'est au sujet de Gabriel ?

— Gabriel ? Qui est Gabriel ? (Soudain, ça m'est revenu.) Ah, Gabriel !

Je n'ai pas tourné la tête vers Dorrie, parce que je ne voulais pas qu'elle profite de mon oubli passager pour me signifier que je ne pensais qu'à moi.

— J'ai appris un truc incroyable avant de venir, mais je ne voulais pas en parler à cause de la déprime d'Addie.

— Il me semble que c'est un sujet clos, a dit Dorrie. Addie ? On en a fini avec ta déprime ?

On n'en aura jamais fini avec ma déprime, ai-je pensé. Je me suis assise par terre et j'ai tiré Tegan par la manche pour qu'elle s'installe à côté de moi. J'ai même fait de la place pour Dorrie.

— Raconte-nous, ai-je lancé.

— Gabriel arrive demain ! a-t-elle annoncé en souriant.

5

❄❄❄

— Son lit est prêt, nous a expliqué Tegan. J'ai acheté un petit cochon en peluche pour qu'il se sente bien, et j'ai dix paquets de chewing-gums au raisin d'avance.

— Parce que tu sais déjà que ce seront ses préférés… a ironisé Dorrie.

— Les cochons mangent du chewing-gum ? ai-je demandé.

— Ils ne le mangent pas, ils le mâchent, m'a reprise Tegan. J'ai aussi une couverture dans laquelle il pourra se pelotonner, une laisse et une litière. Il ne manque que la boue, mais il pourra se rouler dans la neige, non ?

J'étais toujours vexée par l'histoire du chewing-gum, mais je ne me suis pas laissé abattre :

— La neige ? Pourquoi pas ! C'est génial, Tegan !

Ses yeux brillaient.

— Je vais avoir un cochon ! Je vais avoir un cochon, et c'est grâce à vous !

Je n'ai pas pu retenir un sourire. Cette passion pour les cochons était une des choses qui contribuaient à rendre Tegan aussi attachante. Et quand elle aimait, elle aimait pour de bon. Si elle affirmait que les cochons mâchaient du chewing-gum, c'est que c'était le cas. Elle en connaissait un rayon sur le sujet. Sa chambre était un véritable musée dédié à cet animal. Le moindre centimètre carré était occupé par un cochon en porcelaine ou sculpté dans du bois. Chaque Noël, Dorrie et moi lui offrions de quoi compléter sa collection. (Dorrie, elle, avait droit à un cadeau pour Hanoukka – cette année, Tegan et moi avions commandé un tee-shirt en ligne sur le site « Les Filles du Rabbi », il était blanc avec des manches noires et portait l'inscription : *Quelle* chutzpah *!*)

Tegan avait toujours voulu un vrai cochon, mais ses parents s'y étaient systématiquement opposés. Comme son père aimait penser qu'il avait un talent comique, il lui répondait généralement : « Roin… Roin… Quand les cochons auront des ailes, trésor. »

Sa mère était moins pénible, mais tout aussi inébranlable : « Tegan, l'adorable cochonnet dont tu rêves atteindra les quatre cents kilos. »

Son point de vue était compréhensible. Quatre cents kilos, ça revenait à huit Tegan. Ce n'était sans doute pas très judicieux d'avoir un animal qui pesait huit fois son poids. Mais Tegan avait découvert – roulement de tambour, s'il vous plaît ! – le cochon miniature. On n'a jamais rien inventé de plus mignon. Tegan nous a montré, à Dorrie et moi, un site Internet le mois dernier, et nous avons poussé des oh ! et des ah ! devant les photos de minuscules porcelets, qui tenaient dans un mug. En grandissant, ils atteignent les deux kilos, soit un vingt-cinquième du poids de Tegan, ce qui est beaucoup plus raisonnable qu'une bête de quatre cents kilos.

Tegan avait pris contact avec l'éleveur, puis elle avait demandé à ses parents de l'appeler. Parallèlement à ces tractations, Dorrie et moi avions joint l'éleveur. Lorsque les parents de Tegan avaient enfin donné leur accord, nous avions déjà réservé et payé le dernier cochon miniature.

— Les filles ! s'était écriée Tegan quand nous lui avions appris la nouvelle. Vous êtes les meilleures amies de la Terre ! Mais... et si mes parents avaient refusé ?

— C'était un risque à prendre, lui avait rétorqué Dorrie. Ces cochons miniatures partent comme des petits pains.

— C'est vrai, avais-je dit. On croirait qu'ils ont des ailes, tellement ils filent vite !

Dorrie avait imité un grognement de cochon, ce qui m'avait encouragée à poursuivre. J'avais battu des bras en disant :

— Vole ! Vole jusque chez toi, Gabriel !

La semaine passée, l'éleveur avait informé Tegan que Gabriel était sevré. Tegan et Dorrie avaient donc projeté de se rendre à la Ferme de Nancy pour le récupérer. Même si cette exploitation se trouvait à plus de trois cents kilomètres, elles pouvaient facilement faire l'aller-retour dans la journée. Mais il y avait eu la tempête : bye-bye, petit cochon !

— Nancy a appelé ce soir, et devinez quoi ? a repris Tegan. Les routes sont apparemment praticables et, comme elle va passer le nouvel an à Asheville et que Gracetown est sur le chemin... elle en profitera pour déposer Gabriel à l'animalerie du centre-ville. Je le récupérerai demain !

— L'animalerie en face du Starbucks ? l'ai-je interrogée.

— Pourquoi là ? a repris Dorrie. Elle ne pouvait pas te l'amener directement chez toi plutôt ?

— Les routes adjacentes n'ont pas encore été déblayées, a expliqué Tegan. Nancy connaît le type qui possède l'animalerie, il laissera une clé à son intention. Elle m'a promis qu'elle mettrait un mot sur la cage de Gabriel précisant : *Ce cochon ne peut être adopté que par Tegan Shepherd !*

— « Adopté » ?

— Ou « acheté », si tu préfères. C'est comme ça qu'on dit dans les animaleries, m'a expliqué Dorrie. Heureusement qu'elle a eu la présence d'esprit d'écrire un message, parce que demain ça va être l'émeute à l'animalerie : ils vont venir par milliers pour « adopter » ce cochon miniature.

— La ferme, a rétorqué Tegan. J'irai en ville dès que le chasse-neige sera passé. (Elle a joint les deux mains en signe de prière.) S'il vous plaît, s'il vous plaît, s'il vous plaît, faites qu'ils s'occupent de notre quartier en premier !

— Tu peux toujours rêver, a dit Dorrie.

Soudain, j'ai eu une idée brillante.

— Eh ! Je m'occupe de l'ouverture demain, mon père me laisse prendre le 4 × 4.

Dorrie a bandé les muscles de ses bras.

— Addie a le 4 × 4 ! Addie n'a pas besoin de chasse-neige !

— Exactement. Ce qui n'est pas… hum… le cas de la vieille guimbarde.

— Un peu de respect pour ma voiture ! a protesté Tegan.

— Oh, chérie, il serait temps de regarder la réalité en face, a dit Dorrie.

— Bref, suis-je intervenue, je serai ravie de récupérer Gabriel pour toi.

— Tu es sérieuse ?

— Tu es sûre que le Starbucks va ouvrir ? a ajouté Dorrie.

— Miss, ni la pluie, ni la neige, ni le verglas, ni la grêle n'empêcheront le tout-puissant Starbucks de faire du profit.

— Addie, il y a des congères de trois mètres dehors.

— Christina a dit qu'on ouvrirait, on ouvrira. Donc, Tegan, oui, je serai en ville effroyablement tôt demain et, oui, je peux passer récupérer Gabriel.

— Hourra !

— Attends… a lancé Dorrie. Tu n'oublies pas quelque chose ?

J'ai plissé le front.

— Nathan Krugle ! Il travaille à l'animalerie. Et il te déteste.

J'ai eu un coup au cœur. J'avais complètement oublié Nathan. Comment avais-je pu l'oublier ? J'ai relevé le menton.

— Tu vois toujours les choses du mauvais côté. Je suis parfaitement capable de gérer Nathan, s'il travaille demain, ce qui n'est sans doute pas le cas, vu qu'il doit être parti à une réunion de fans de *Star Trek*.

— Tu te cherches déjà des excuses ? a demandé Dorrie.

— *Nooon*. Je cherche à démontrer mon total dévouement à cette cause, et mon absence complète d'égocentrisme. Si Nathan est là, je l'affronterai pour Tegan.

Dorrie n'avait pas l'air convaincue. Je me suis tournée vers Tegan :

— Je prends ma pause à neuf heures, je serai donc la première cliente à franchir le seuil de l'animalerie, dacodac ?

Je me suis levée pour aller à mon bureau et écrire sur un Post-it Hello Kitty avec mon stylo violet : *Ne pas oublier le cochon !* Puis je me suis dirigée vers ma commode, sur laquelle était posée ma tenue de travail, et j'ai collé le message sur mon tee-shirt.

— Heureuses ? ai-je demandé en le brandissant sous le nez de Dorrie et de Tegan.

— Heureuse, a répondu celle-ci.

— Merci, *Tegan*, ai-je dit avec grandiloquence pour faire comprendre à Dorrie qu'elle avait des leçons à tirer d'une amie aussi fidèle. Je te promets de ne pas te laisser tomber.

6

❄❄❄

Tegan et Dorrie m'ont dit bonsoir, et, l'espace de deux minutes, en les serrant dans mes bras, j'ai oublié que j'avais le cœur brisé. Dès qu'elles ont disparu, pourtant, j'ai senti, de nouveau, un poids incommensurable peser sur mes épaules. *Salut*, m'a lancé mon chagrin, *je suis de retour ! Je t'ai manqué ?*

Cette fois, c'est la journée du dimanche précédent qui s'est rappelée à mon souvenir, soit le lendemain de la soirée de Charlie. Soit le pire jour de ma vie. J'avais débarqué chez Jeb sans le prévenir et il avait été heureux de me voir.

— Où étais-tu partie hier soir ? Je n'ai pas réussi à te trouver.

J'avais éclaté en sanglots. Ses prunelles sombres s'étaient voilées d'inquiétude.

— Tu es toujours fâchée, Addie ? À cause de notre dispute ?

J'avais voulu répondre, mais aucun mot ne sortait.

— Ce n'était pas une vraie dispute, avait-il cherché à me rassurer. C'était… rien.

Mes sanglots avaient redoublé, et il m'avait pris les mains.

— Je t'aime, Addie. Je ferai des efforts pour mieux te le montrer. Entendu ?

Si sa chambre avait donné sur une falaise, je me serais jetée dans le vide. Si un poignard s'était trouvé sur sa commode, je me le serais planté dans la poitrine. Mais ce n'était pas le cas, et je lui avais parlé de Charlie.

— Je suis vraiment désolée, avais-je pleurniché. Je croyais qu'on passerait notre vie ensemble. C'est ce que je souhaitais !

— Addie…

Il était sous le choc de la révélation, bien sûr, mais il s'inquiétait surtout de me voir dans un état pareil. Je le savais, parce que je connais Jeb. L'urgence, pour lui, était de prendre soin de moi. Il avait serré mes mains dans les siennes.

— Arrête ! lui avais-je demandé. Tu ne dois pas être gentil avec moi alors qu'on est en train de rompre !

Il était complètement perturbé.

— On est en train de rompre ? Tu… tu préfères rester avec Charlie plutôt qu'avec moi ?

— Non ! Bien sûr que non ! Je t'ai trompé, j'ai tout gâché, et… (Un sanglot s'était étranglé dans ma gorge.) Je mérite de te perdre !

Il refusait toujours de comprendre.

— Mais… et si je ne veux pas, moi ?

Je me souviens avoir pensé – non, avoir su – que Jeb avait un meilleur fond que moi. C'était le type le plus formidable du monde, et j'étais une sous-merde qui ne méritait même pas de finir écrasée sous sa semelle. J'étais naze. Aussi naze que Charlie.

— Je dois partir, avais-je dit en me dirigeant vers la porte.

Il m'avait retenue par le poignet. Son visage m'implorait de rester, mais c'était impossible. Pourquoi ne le voyait-il pas ? Je m'étais dégagée en lançant :

— Jeb… c'est fini.

J'avais vu sa mâchoire se contracter, ce qui m'avait procuré une satisfaction perverse. Enfin, il était en colère contre moi. Enfin, il me méprisait.

— Va-t'en, avait-il lâché.

C'était ce que j'avais fait.

Résultat, j'étais là, devant la fenêtre de ma chambre, à regarder Dorrie et Tegan s'éloigner. La neige – toute cette neige ! – avait des reflets argentés au clair de lune. Rien que de poser mes yeux dessus j'avais froid.

Je me suis demandé si Jeb me pardonnerait un jour.

Je me suis demandé si je cesserais un jour de me sentir aussi mal.

Je me suis demandé si Jeb se sentait aussi mal que moi, et j'ai été surprise de constater que j'espérais que non. C'est vrai, je n'avais pas envie de me le figurer fou de joie, mais je ne voulais pas non plus que son cœur ne soit plus qu'un bloc de regrets figés. Il était si bon… C'était d'ailleurs pour cette raison que je ne m'expliquais pas son absence, la veille. Quoi qu'il en soit, Jeb n'y était pour rien, j'avais tout fichu en l'air. Où qu'il se trouve, j'espérais que son cœur était au chaud.

7

❄❄❄

En frissonnant, Christina a déverrouillé la porte du Starbucks à quatre heures trente, le lendemain matin.

Quatre heures trente, vous avez bien lu ! Le soleil ne se lèverait qu'une heure et demie plus tard, et le parking formait un paysage apocalyptique avec ses rares voitures ensevelies sous la neige. Le copain de Christina a klaxonné en s'engageant dans Dearborn Avenue, et elle s'est retournée pour lui faire signe. Il a disparu, et nous sommes restées seules avec la neige et la boutique plongée dans l'obscurité.

Quand elle a poussé la porte, je me suis précipitée à l'intérieur.

— Quel froid de canard !

— Tu l'as dit, ai-je acquiescé.

Le trajet jusqu'au Starbucks n'avait pas été une partie de plaisir, même avec les pneus neige et les chaînes. J'avais croisé au moins une dizaine de voitures abandonnées par des conducteurs moins courageux. J'avais même aperçu l'empreinte d'un 4 × 4 dans une congère. Comment était-ce possible ? Comment quelqu'un avait-il pu foncer dans un mur de neige de deux mètres ? Tant que le chasse-neige n'aurait pas fait son travail, il n'y avait aucune chance que Tegan aille où que ce soit avec son tas de ferraille.

J'ai tapé mes pieds sur le paillasson pour me débarrasser de la neige accrochée à mes semelles, puis j'ai retiré mes bottines et rejoint la réserve en chaussettes. Au passage, j'ai appuyé sur les six interrupteurs qui se trouvaient à côté de la bouche d'aération, et le café s'est illuminé.

Une étoile de Noël éclairée par les anges, ai-je pensé, en songeant au point lumineux du Starbucks dans la ville obscure. *Sauf que Noël est terminé, et que les anges n'existent pas.*

J'ai retiré mon bonnet et mon manteau avant d'enfiler mes sabots noirs, assortis à mon pantalon. J'ai vérifié que le Post-it était bien collé sur mon tee-shirt, qui clamait : *Nous sommes là pour satisfaire toutes vos demandes.* Dorrie se moquait de lui, comme elle se moquait de tout ce qui se rapportait au Starbucks, mais ça m'était égal. C'était un endroit où je me sentais bien. Et, depuis peu, triste aussi, parce qu'il était rempli de souvenirs de Jeb. Malgré tout, les odeurs et la routine du travail m'apportaient une forme de réconfort. Sans oublier la musique. Certains la trouvent formatée, moi, elle me plaisait.

— Eh, Christina, ça te dit un petit *Hallelujah* ?

— Un peu que ça me dit !

J'ai placé le CD *Élévation : Chansons pour l'âme* – qui suscite aussi la moquerie de Dorrie, naturellement – dans le lecteur et choisi la piste 7. La voix de

Rufus Wainwright a résonné dans le café, et j'ai pensé : *Ah, la douce musique du Starbucks...*

Ce que Dorrie n'arrive pas à comprendre – à l'instar des milliards d'autres détracteurs du Starbucks –, c'est que ceux qui y travaillent restent des êtres humains comme les autres. C'est vrai, cette entreprise appartient sans doute à un homme d'affaires redoutable. C'est vrai, c'est une chaîne. Mais Christina vit à Gracetown comme Dorrie. C'est aussi mon cas et celui du reste des *baristi*. Qu'est-ce qu'on nous reproche ?

J'ai quitté la réserve pour aller déballer les pâtisseries déposées par Carlos, le livreur. Mon regard était attiré en permanence par les fauteuils violets près de la porte, et les muffins aux myrtilles dansaient devant mes yeux brouillés par les larmes.

Arrête, me suis-je ordonné. *Ressaisis-toi, bon sang, ou la journée va te paraître interminable.*

— Waouh ! a dit Christina. Tu as coupé tes cheveux.

— Euh... ouais.

— Et tu les as teints en rose.

— Ce n'est pas un problème, si ?

Les cafés Starbucks possédaient un règlement qui interdisait aux employés piercings et tatouages visibles. Il ne me semblait pas que le règlement disait quoi que ce soit au sujet des cheveux roses, en revanche. Cela dit, la question ne s'était jamais posée.

— Mmmm, a-t-elle lâché d'un ton appréciateur en m'examinant. Non, pas du tout. Ça m'a surprise, c'est tout.

— Oui, moi aussi, ai-je soufflé.

Je n'avais pas l'intention qu'elle m'entende, mais c'est pourtant ce qui est arrivé.

— Tout va bien, Addie ?

— Oui, oui.

Son regard a glissé sur mon tee-shirt. Elle a froncé les sourcils.

— Quel cochon es-tu censée ne pas oublier ?

— Hein ? Ah ! Oh !… rien.

Je soupçonnais les cochons, en revanche, d'être interdits, et je ne voyais pas l'utilité de raconter à Christina l'histoire de Gabriel en détail. Je le cacherais dans la réserve une fois que je l'aurais récupéré, elle n'en saurait jamais rien.

— Tu es sûre que tout va bien ? a-t-elle insisté.

Je lui ai fait un grand sourire en décollant le Post-it.

— Mieux que jamais !

Pendant qu'elle s'occupait de mettre en route la machine à café, j'ai plié le Post-it en deux avant de le glisser dans ma poche. J'ai enfilé des gants en latex pour installer les pâtisseries dans la vitrine. La voix de Rufus Wainwright emplissait le café, et je me suis surprise à fredonner. C'était presque agréable : la vie craignait, mais, au moins, il y avait de la bonne musique.

Malheureusement je me suis mise à écouter les paroles, à les écouter vraiment, au lieu de les laisser flotter autour de moi, et le sentiment de douceur s'est dissipé. J'avais toujours cru que c'était une chanson inspirée par Dieu ou un truc spirituel, à cause de tous ces *hallelujahs*. Seulement, il y a des mots avant et après les *hallelujahs*, et ils n'ont rien de très gai.

La chanson disait que l'amour était impossible sans foi. Je me suis figée, parce que ces paroles m'étaient douloureusement familières. Plus je leur prêtais attention, plus j'étais horrifiée : c'était l'histoire d'un type amoureux, trahi par la personne qu'il aimait. Et les *hallellujahs* n'avaient rien d'inspiré : ils étaient froids, brisés – c'était ce que clamait le refrain !

Pourquoi est-ce que j'aimais cette chanson, d'abord ? Elle était nulle !

J'ai filé à la réserve pour changer le CD, mais il est passé à la piste suivante avant que j'arrive. C'était un gospel qui en appelait à la grâce divine. *C'est mieux*, ai-je pensé. *Pitié, Seigneur, j'aurais besoin d'un peu de grâce divine !*

8

❄❄❄

À cinq heures, la préparation du café était achevée. À cinq heures une minute, notre premier client est apparu derrière la porte vitrée, et Christina est allée ouvrir officiellement le Starbucks.

— Joyeux lendemain de Noël, Earl, a-t-elle lancé au colosse qui attendait dehors. Je n'étais pas sûre de vous voir aujourd'hui.

— Vous croyez que mes clients se soucient du temps qu'il fait ? On voit que vous ne les connaissez pas, ma jolie.

Il s'est engouffré dans le café, accompagné d'un souffle d'air glacial. Ses joues étaient vermillon, et il portait un chapeau rouge et noir pourvu d'oreillettes. Il était immense et barbu, il ressemblait à un bûcheron – ça tombait bien, c'était son métier. Je redoutais toujours de me retrouver coincée derrière sa camionnette lorsque j'empruntais l'une des nombreuses routes de montagne du coin ; primo : parce qu'il plafonnait à trente kilomètres à l'heure ; deuxio : parce que l'arrière de ladite camionnette était rempli de bûches. De grosses bûches, empilées sur cinq ou six rangées. Et qui, si Earl venait à piler, rouleraient et écraseraient ma voiture comme un gobelet en carton !

Christina est repassée derrière le bar, en lançant :

— Ça doit être agréable de se sentir utile, non ?

Pour toute réponse, Earl a poussé un grognement. Il s'est approché de la caisse et a froncé les sourcils en m'apercevant.

— Qu'est-ce que tu as fait à tes cheveux ?

— Je les ai coupés, ai-je répondu en le regardant. Et teints.

Comme il ne disait toujours rien, j'ai ajouté :

— Ça vous plaît ?

— Quelle importance ? Ce sont tes cheveux, pas les miens !

— Je sais, mais…

Je n'ai pas su comment finir ma phrase. Quelle importance qu'Earl aime ou pas, effectivement ? J'ai pris son argent en baissant les yeux. Il commandait toujours la même chose, notre échange était donc terminé.

Christina a agrémenté son moka framboise d'une quantité généreuse de crème fouettée, qu'elle a nappée de sirop à la framboise rouge vif, avant de placer un couvercle en plastique blanc par-dessus.

— Et voilà ! a-t-elle annoncé.

— Merci, mesdemoiselles, a-t-il dit en brandissant son gobelet comme pour porter un toast avant de sortir.

— Tu crois que ses potes bûcherons le charrient avec son café de fille ? ai-je demandé.

— De temps en temps, j'imagine.

Le carillon a retenti, et un type a tenu la porte pour sa copine. En tout cas, c'est ce que j'ai déduit de leur air béat. J'ai tout de suite pensé à Jeb, évidemment – ce qui n'était pas arrivé depuis… quoi ? deux secondes ? –, et je me suis sentie seule.

— Waouh, encore des lève-tôt, a remarqué Christina.

— Je dirais plutôt des couche-tard.

Le garçon, un mec du lycée, avait les yeux rougis et l'air las. Il me semblait reconnaître la fille, aussi, mais je n'étais pas certaine. Elle n'arrêtait pas de bâiller.

— Ça suffit maintenant, lui a-t-il dit. (Tobin ! il s'appelait Tobin ! Et il avait un an de plus que moi.) Tu me files des complexes.

Elle a souri. Avant de bâiller encore. Est-ce qu'elle ne s'appelait pas Angie ? Si, c'était ça, Angie. Et elle semblait détester les trucs de filles à un point qui me faisait me sentir *trop* fille. Ça ne devait pas être intentionnel, malgré tout. Je ne pense pas qu'elle savait qui j'étais.

— C'est formidable, a-t-il lancé à la cantonade en écartant les bras, je l'ennuie. Je l'ennuie ! Vous y croyez ?

Je me suis composé une expression avenante mais neutre. Tobin portait des pulls déformés, et il était ami avec ce Coréen qui disait « trouduc » à tout bout de champ. Ces types-là étaient si intelligents qu'ils en étaient intimidants. De ce genre d'intelligence qui me donne le sentiment d'être une pom-pom girl écervelée, même si je ne suis pas pom-pom girl – et que, personnellement, je ne les trouve pas débiles. Pas toutes, en tout cas. Chloé – la pouffe de Stuart –, si, en revanche.

— Salut, a dit Tobin en pointant son index sur moi. Je te connais.

— Euh, oui…

— Mais tu n'avais pas les cheveux roses avant.

— Non.

— Alors tu travailles ici ? C'est dingue. (Il s'est tourné vers sa copine.) Elle travaille ici. Ça fait sans doute des années, et je ne le savais pas.

— Flippant, a-t-elle répondu.

Elle m'a souri et a incliné la tête d'un air de dire : *Je sais que je te connais, je suis désolée de ne pas savoir ton prénom, mais bonjour quand même.*

— Qu'est-ce que vous prendrez ? ai-je demandé.

Tobin a consulté la liste au-dessus du comptoir.

— Ah, purée ! c'est ici que la carte est incompréhensible, non ? Ils servent du *caffè latte* au lieu du café au lait ?

Il avait insisté sur « *caffè latte* » avec un faux accent italien. J'ai échangé un regard avec Christina.

— Pourquoi vous n'appelez pas ça un café au lait ? a-t-il demandé.

— On pourrait, sauf que ce n'est pas vraiment un café au lait, a-t-elle répondu. C'est du lait chaud avec un peu de café, le tout recouvert d'une couche de mousse de lait. L'*espresso macchiato* se rapprocherait davantage du café au lait.

— *Espresso macchiato*, c'est ça. Est-ce que je peux passer la commande en anglais plutôt ?

— Aucun problème, ai-je rétorqué. J'aurai peut-être un peu de mal à m'y retrouver, mais j'y arriverai.

Le bon équilibre est toujours difficile à trouver : contenter le client tout en lui faisant remarquer, si nécessaire, qu'il exagère. Angie a pincé les lèvres. Ça me l'a rendue sympathique.

— Non, non, non, a dit Tobin en brandissant les mains pour montrer qu'il se rétractait. Je suis allé à Rome, et tout. Alors… euh… laisse-moi réfléchir… Mmmm… Mais comment dit-on « muffin » en italien ?

J'ai éclaté de rire. Ses cheveux étaient hirsutes, il avait l'air littéralement épuisé, et il jouait au con. J'étais presque sûre qu'il ignorait mon prénom, même si on était allés dans la même école primaire, le même collège et le même lycée. Pourtant, il y avait quelque chose d'attendrissant dans sa façon de regarder Angie, qui se marrait, elle aussi.

— Quoi ? a-t-il demandé, sincèrement surpris.

— Les noms italiens, c'est juste pour les boissons, lui a-t-elle expliqué.

Elle a placé ses mains sur ses épaules et l'a guidé vers la vitrine, où six muffins dodus étaient alignés en rang d'oignons.

— On dit « muffin », a-t-elle ajouté.

Tobin a soufflé et, dans un premier temps, j'ai cru qu'il continuait son numéro. *Pauvre petit parangon de la contre-culture entraîné à son corps défendant au vilain Starbucks.* Mais en remarquant qu'il rougissait, j'ai compris quelque chose : Tobin et Angie… c'était récent. Suffisamment pour que tout contact physique lui fasse piquer un fard. Une nouvelle vague de tristesse m'a envahie. Je me suis rappelé l'extase de ces picotements sur la peau.

— C'est la première fois que je viens ici, a dit Tobin. Je suis très sérieux : ma toute première fois. Alors, sois indulgente avec moi.

Sa main a cherché celle d'Angie, et leurs doigts se sont mêlés. Elle s'est empourprée à son tour.

— Donc… juste un muffin ? ai-je demandé en en prenant un dans la vitrine.

— Non, laisse tomber, je n'en veux plus de ce sale muffin, a-t-il répondu en feignant de bouder.

— Pauvre bébé, l'a taquiné Angie.

Tobin l'a contemplée et son expression s'est radoucie.

— Euh… et un grand *caffè latte*, a-t-il ajouté. On partagera.

— Bien sûr. Vous le voulez avec du sirop ?

— Du sirop ?

— Oui, on a du sirop à la noisette, au chocolat blanc, à la framboise, à la vanille, au caramel…

— À la gaufre ?

Pendant une seconde, j'ai cru qu'il se payait ma tête, mais Angie a éclaté de rire, d'un air entendu, et j'ai compris que c'était une blague entre eux. Et que tout ne tournait pas toujours autour de moi.

— Désolée, pas de sirop à la gaufre.

— Ah, d'accord, a-t-il dit en se grattant la tête. Alors… euh… pourquoi pas…

— Un *caramel macchiato* avec une dose de sirop à la noisette, a lancé Angie.

— Excellent choix, ai-je approuvé.

Tobin m'a payée avec un billet de cinq dollars et en a glissé un autre dans la boîte destinée aux pourboires. Ce n'était peut-être pas un con, après tout.

Quand je les ai vus se diriger vers la porte, je n'ai pas pu m'empêcher de penser : *Pas les fauteuils violets ! Ce sont les nôtres, à Jeb et à moi !* Évidemment, c'est sur eux qu'ils ont jeté leur dévolu. Après tout, c'étaient les plus confortables.

Angie s'est laissée tomber dans celui qui était le plus près du mur, Tobin dans l'autre. Tout en tenant le gobelet dans une main, il a glissé ses doigts entre ceux d'Angie.

9

❄❄❄

À six heures et demie, le soleil a officiellement pointé le bout de son nez. C'était joli, sans doute, si on apprécie ce genre de spectacle. Le jour qui se lève, synonyme de nouveaux départs, la chaleur des rayons de l'espoir… Ouais. Très peu pour moi, en tout cas.

À sept heures, nous avons été envahis, et les commandes de cappuccinos et d'espressos ont pris le dessus sur mes ruminations, au moins pour un temps. Scott est passé pour son *chaï* matinal, et, comme toujours, il a aussi emporté un gobelet de crème fouettée pour Maggie, sa collègue. Diana, qui travaillait à la crèche en bas de la rue, s'est arrêtée pour son *caffè latte* allégé, et, tout en fouillant dans son sac à la recherche de sa carte de fidélité, elle m'a dit pour la cent millième fois qu'il fallait que je change ma photo sur le panneau à l'entrée.

— Tu sais que je déteste cette photo. Tu ressembles à un poisson.

— Eh bien moi, elle me plaît.

Jeb l'avait prise au dernier réveillon de fin d'année. Avec Tegan, on s'amusait à imiter Angelina Jolie.

— Je ne comprends vraiment pas pourquoi, a répondu Diana. Tu es une si jolie fille, même avec cette… (Elle a fait un geste de la main dans la direction de mes cheveux.)… nouvelle coupe… *rock*.

Rock ? La vache !

— Ce n'est pas *rock*, mais *rose*.

Elle a remis la main sur sa carte et l'a brandie.

— Ah ! et voilà !

Je l'ai passée dans le lecteur avant de la lui rendre. Elle l'a agitée sous mon nez puis est allée retirer sa boisson au comptoir.

— Et change-moi cette photo ! m'a-t-elle ordonné.

Les trois John ont débarqué à huit heures tapantes et ils se sont installés à leur table habituelle dans le coin. Ils étaient retraités et occupaient leurs matinées à jouer au Sudoku en sirotant un thé. John Numéro Un m'a dit que je faisais une sacrée pépée avec ma nouvelle coiffure, et John Numéro Deux lui a rétorqué d'arrêter de me draguer.

— Elle pourrait être ta petite-fille.

— Ne vous inquiétez pas, suis-je intervenue, l'usage du terme « pépée » le disqualifie de toute façon.

— Tu veux dire qu'autrement j'aurais ma chance ? a demandé John Numéro Un.

Sa casquette de baseball était perchée sur le sommet de son crâne comme un nid d'oiseaux.

— Non, lui ai-je répondu.

John Numéro Trois s'est esclaffé et il a tapé dans la main de John Numéro Deux. Ah, les garçons…

À huit heures quarante-cinq, j'ai dénoué les cordons de mon tablier et annoncé que je prenais ma pause.

— J'ai une petite course à faire, ai-je précisé à Christina, mais je reviens tout de suite.

— Attends.

Elle m'a retenue par l'avant-bras. En suivant son regard, j'ai compris pourquoi. L'une des curiosités de Gracetown venait de franchir le seuil du café : un conducteur de dépanneuse du nom de Travis, qui s'habillait avec du papier d'alu. Pantalon en alu, veste en alu, et même chapeau conique en alu.

— Mais pourquoi met-il ça ? ai-je demandé (ce n'était pas la première fois que je me posais la question).

— C'est peut-être un chevalier… a suggéré Christina.

— … ou un paratonnerre…

— … ou une girouette, venue nous annoncer que le vent va tourner.

— Oh, bien vu ! me suis-je écriée en soupirant. J'aurais vraiment besoin que le vent tourne…

Travis s'est approché du comptoir. Ses yeux étaient si pâles qu'on aurait dit qu'ils étaient argentés, eux aussi. Il ne souriait pas.

— Salut, Travis ! a lancé Christina. Qu'est-ce que je peux te servir ?

Généralement, il demandait simplement un verre d'eau, mais, de temps à autre, il avait suffisamment de monnaie pour un scone au sirop d'érable, sa pâtisserie favorite. Comme moi, d'ailleurs. Contrairement à l'impression qu'ils donnaient, ils n'étaient pas secs, et le glaçage au sirop d'érable était à tomber.

— Est-ce que je peux avoir un échantillon ? a-t-il grommelé.

— Bien sûr, a-t-elle répondu en prenant un des minuscules gobelets en carton prévus à cet effet. Que voulez-vous goûter ?

— Rien. J'ai juste besoin du gobelet.

Christina m'a jeté un regard en biais, et j'ai gardé les yeux rivés sur Travis pour éviter le fou rire. Je n'avais pas envie d'être méchante. En me concentrant, je pouvais voir des dizaines de petits « moi » se réfléchir sur sa veste. Ou plutôt, des fragments de « moi », entre les plis de l'alu.

— Le *latte* de Noël est délicieux, lui a proposé Christina. C'est le café du moment.

— J'ai juste besoin du gobelet, a-t-il répété. J'ai juste besoin du gobelet !

— Très bien, très bien, a-t-elle dit en le lui tendant.

J'ai détaché mon regard des dizaines de petits « moi » ; leur contemplation était hypnotique.

— Je n'en reviens pas que vous soyez habillé comme ça par un temps pareil, ai-je lâché. Rassurez-moi, vous portez bien un pull sous l'aluminium ?

— Quel aluminium ?

— Ah ! ah ! très drôle ! Sérieusement, Travis, vous n'avez pas froid ?

— Non, et toi ?

— Euh… noooon. Pourquoi aurais-je froid ?

— Je l'ignore. Pourquoi, en effet ?

Je suis partie d'un éclat de rire avant de me reprendre aussitôt. Les yeux de Travis me fixaient sous ses sourcils broussailleux.

— Je ne sais pas, ai-je répondu en rougissant. Je n'ai pas froid. À vrai dire, je vais même parfaitement bien, question température.

— *Question température*, a-t-il raillé. Il n'y a vraiment que toi qui comptes, non ?

— Quoi ? Je ne… parlais pas de moi ! Je vous expliquais juste que je n'avais pas froid !

L'intensité de son regard m'a collé des frissons.

— D'accord, peut-être que je parlais de moi à la seconde, mais ce n'est pas une raison pour généraliser.

— Certaines choses ne changent jamais, a-t-il décrété d'un ton méprisant.

Il s'est éloigné avec son minuscule gobelet. Arrivé à la porte, il s'est retourné pour lancer :

— Inutile d'appeler ma dépanneuse aujourd'hui ! Je n'y serai pas pour toi !

— Eh bien, ai-je lâché après son départ, voilà qui était intéressant.

Il m'avait vexée, mais je ne voulais pas le montrer.

— Je crois que je n'ai jamais entendu Travis refuser de sortir sa remorqueuse pour quiconque, a dit Christina. Je pense que tu es la première.

— Et j'en suis fière, ai-je répondu d'une petite voix.

Elle a éclaté de rire, ce qui était le but recherché. Mais pendant qu'elle remplissait le distributeur de serviettes en papier, j'ai réentendu les mots de Travis : « Il n'y a vraiment que toi qui comptes, non ? » Ils faisaient douloureusement écho à ceux de Dorrie, la veille : « Tu t'es posé la question de savoir comment il fallait que tu t'amendes ? »

— Hum… Christina ?

— Oui ?

— Est-ce qu'il y a quelque chose qui cloche chez moi ?

Elle a relevé le nez des serviettes en papier.

— Travis est dingue, Addie.

— Je sais bien, mais ça ne signifie pas pour autant que tout ce qu'il dit est dingue.

— *Addie...*

— *Christina...* Sois franche : est-ce que je suis quelqu'un de bien ? Ou est-ce que je suis... trop égocentrique ?

Elle a réfléchi.

— C'est forcément l'un ou l'autre ?

— Touché...

J'ai porté une main à mon cœur en faisant mine de vaciller. Elle a souri, pensant que je prenais le tout à la rigolade. Ce qui était sans doute le cas. Sauf que je ne pouvais m'empêcher d'avoir l'étrange sensation que le monde entier essayait de me faire passer un message. J'étais au bord d'un abîme, mais d'un abîme qui était en moi. Et j'avais trop peur de regarder en bas.

— Active-toi ! m'a lancé Christina. Les vieux arrivent.

La camionnette des Baskets ailées venait effectivement de se garer devant le Starbucks, et le conducteur aidait ses passagers à monter sur le trottoir.

— Bonjour, Claire, a dit Christina comme la première retraitée franchissait la porte.

— Vite ! vite ! s'est-elle écriée en retirant son bonnet aux couleurs vives.

Burt a foncé vers le comptoir des boissons et a commandé un échantillon de café noir. Miles, qui s'est glissé derrière lui, a lancé à la cantonade :

— Es-tu sûr que ton palpitant le supportera, mon vieux ?

Burt s'est frappé la poitrine du poing.

— Ça m'aide à rester jeune. C'est pour cette raison que les dames m'aiment. N'est-ce pas, mademoiselle Addie ?

— Absolument, ai-je répondu en mettant le reste de l'univers sur *Pause* pour tendre un gobelet à Christina.

Burt avait les plus grandes oreilles que j'aie jamais vues (peut-être parce qu'il les faisait pousser depuis plus de quatre-vingts ans), et je me suis demandé ce que les dames en pensaient. La file d'attente s'est allongée : c'était le moment critique de la matinée, pour Christina et moi. Je prenais et encaissais les commandes, pendant qu'elle s'activait autour de la machine.

— Un grand *latte* !

— Un grand *latte*, répétait-elle.

— Un moka avec sirop au caramel sans crème !

— Un moka avec sirop au caramel sans crème.

C'était un véritable ballet, qui me permettait de sortir de moi-même. L'abîme était toujours là, mais il attendrait.

La dernière de la bande, Mayzie, avait des tresses grises et un sourire béat. C'était une prof à la retraite, et elle était attifée n'importe comment, avec un jean informe, un pull rayé quinze fois trop grand et une demi-douzaine de bracelets en perles. Ça me plaisait qu'elle s'habille davantage comme une adolescente que comme une vieille dame. Évidemment, je n'aurais pas voulu la voir en jean taille basse et string, mais je trouvais chouette qu'elle n'en fasse qu'à sa tête. Comme c'était la dernière dans la file, je me suis autorisée à souffler.

— Salut, Mayzie. Comment allez-vous aujourd'hui ?

— Je suis en pleine forme, trésor.

Elle portait, ce jour-là, des boucles d'oreilles avec des cloches violettes, qui tintaient quand elle remuait la tête.

— Ouh ! j'adore tes cheveux, ma chérie !

— Vous ne trouvez pas que je ressemble à un poussin déplumé ?

— Pas du tout, ça te va très bien. C'est audacieux.

— Je ne suis pas sûre…

— Eh bien moi, si. Tu broies du noir depuis trop longtemps, Addie. Je t'ai observée. Il est temps que tu passes à ton moi suivant.

Et voilà, la sensation de se tenir au bord d'un précipice était revenue. Mayzie s'est penchée vers moi.

— Nous avons tous des défauts, ma chérie. Tous. Et, crois-moi, nous avons tous commis des erreurs.

Je me suis sentie rougir. Mes erreurs étaient-elles si flagrantes ? Même les clients s'en rendaient compte ? Cela signifiait-il que les Baskets ailées discutaient de mon histoire avec Charlie pendant leurs parties de loto ?

— Fais le point une bonne fois pour toutes, change ce qu'il y a à changer, et va de l'avant, ma puce.

Je l'ai fixée d'un air idiot. Elle a baissé la voix avant de poursuivre :

— Et si tu te demandes pourquoi je te dis tout ça, c'est parce que j'ai décidé d'entamer une nouvelle carrière : ange de Noël.

Elle a attendu ma réaction, le regard brillant. J'étais tellement surprise qu'elle parle d'ange, alors que j'en avais discuté avec Dorrie et Tegan la veille, que l'espace d'un quart de seconde j'en suis venue à envisager qu'elle soit mon ange. Puis la réalité froide et implacable m'est tombée dessus, et je m'en suis voulu d'être aussi bête : Mayzie n'était pas un ange. Non, aujourd'hui, c'était la journée des Zinzins. Apparemment, ils avaient tous mangé trop de bûche.

— Il ne faut pas être mort pour être un ange ? ai-je demandé.

— Addie… m'a-t-elle chambrée. Est-ce que j'ai l'air morte ?

J'ai jeté un coup d'œil à Christina pour voir si son oreille traînait, mais elle était près de la sortie, occupée à placer un nouveau sac dans la poubelle. Mayzie a interprété mon silence comme une invitation à continuer.

— Je suis un cycle de conférences intitulé : « Les anges sont parmi nous ». Je n'ai pas besoin d'un diplôme.

— Il n'y a pas vraiment de cycle de conférences intitulé ainsi.

— Oh, si, je t'assure. Il a lieu au Centre pour les arts célestes de Gracetown.

— Il n'y a pas de Centre pour les arts célestes à Gracetown.

— Je me sens parfois seule, m'a-t-elle confié. Les membres des Baskets ailées sont formidables, évidemment, mais ils sont un peu… *ennuyeux*, a-t-elle ajouté en chuchotant.

— *Oh…* ai-je répondu sur le même mode.

— J'ai pensé que devenir un ange serait un bon moyen pour entrer en contact avec d'autres personnes. Quoi qu'il en soit, pour mériter mes ailes, je dois répandre la magie de Noël.

J'ai retenu un ricanement.

— Eh bien, je ne crois pas à la magie de Noël.

— Bien sûr que si, je ne serais pas là autrement.

J'ai eu un mouvement de recul. Comment répondre à ça ? J'ai adopté une autre tactique :

— Mais… Noël est fini.

— Oh, non, Noël n'est jamais fini tant qu'on ne l'a pas décidé.

Elle a posé les coudes sur le comptoir et placé ses mains en coupe pour y appuyer son menton.

— Noël est un état d'esprit… Bonté divine ! s'est-elle exclamée soudain après avoir laissé son regard vagabonder.

— Quoi ? ai-je demandé en cherchant à comprendre ce qui avait provoqué cette exclamation.

Un bout du Post-it dépassait de ma poche, et Mayzie s'est penchée pour l'attraper. Son geste m'a tellement surprise que je suis restée plantée sans réagir.

— « Ne pas oublier le cochon ! », a-t-elle lu après l'avoir déplié.

— Mince !

— Quel cochon es-tu censée ne pas oublier ?

— Euh… c'est pour mon amie Tegan. Qu'est-ce que vous aimeriez boire ?

Mes doigts brûlaient de dénouer les cordons de mon tablier pour que je puisse prendre ma pause.

— Mmmmm, a-t-elle dit en pianotant sur son menton.

Je tapais du pied pendant ce temps-là.

— Tu sais, parfois, lorsqu'on oublie des commissions pour les autres, c'est parce qu'on est préoccupé par ses propres problèmes…

— Oui, ai-je répondu fermement dans l'espoir de mettre un terme à cette conversation. Vous voulez un moka avec du sirop à l'amande comme d'habitude ?

— Quand, en réalité, ce qu'il faudrait, c'est s'oublier soi-même.

— Oui, encore une fois. J'ai bien entendu le message. Une seule dose de sirop ?

Elle a souri, comme si je l'amusais.

— Une seule dose, oui, mais je vais changer de parfum. Le changement est sain, non ?

— Si vous le dites. Qu'est-ce que ce sera alors ?

— Un moka avec du sirop au caramel, s'il te plaît, dans un gobelet à emporter. Je crois que je vais aller prendre un peu l'air avant que Tanner revienne nous chercher.

J'ai répété la commande à Christina, qui était revenue derrière le comptoir. Elle a placé un couvercle en plastique sur le gobelet puis l'a tendu à Mayzie.

— N'oublie pas ce que je t'ai dit !

— J'aurais du mal…

Elle est partie d'un rire joyeux, comme si nous étions complices.

— Au revoir ! À bientôt ! a-t-elle encore lancé avant de sortir.

J'ai aussitôt arraché mon tablier.

— Je prends ma pause.

Christina m'a tendu un récipient sale.

— Rince-moi ça, et tu seras officiellement libre.

10

❄❄❄

J'ai placé le récipient dans l'évier et ouvert le robinet, puis je me suis retournée pour prendre appui sur le rebord. J'ai tambouriné des doigts sur l'inox.

— Mayzie dit que je dois m'« oublier », ai-je lancé. Qu'est-ce que ça veut dire à ton avis ?

— Aucune idée, a répondu Christina, de dos.

Elle nettoyait la machine à café. Un nuage de vapeur s'est élevé autour de sa tête.

— Et ma copine Dorrie, tu la connais, m'a plus ou moins conseillé la même chose. Elle prétend qu'il faut que j'arrête de croire que le monde tourne autour de moi.

— Je ne la contredirai pas sur ce point.

— Ha ! ha ! ai-je rétorqué avant d'être prise d'un doute. Tu plaisantes, hein ?

Christina a jeté un regard par-dessus son épaule en souriant. Ses yeux se sont agrandis d'horreur, et elle a gesticulé furieusement.

— Addie, le… le…

J'ai pivoté à temps pour voir l'eau déborder de l'évier. J'ai fait un bond en arrière en poussant un cri.

— Coupe l'eau !

J'ai eu beau tourner le robinet dans un sens et dans l'autre, l'eau continuait à couler, et l'évier à déborder.

— Ça ne marche pas !

Elle m'a écartée du passage.

— Va chercher une serpillière !

Quand je suis revenue en courant de la réserve, Christina s'escrimait toujours sur le robinet, et l'eau se déversait imperturbablement sur le sol.

— Je te l'avais dit, ai-je lancé.

Elle m'a fusillée du regard. Je me suis faufilée pour placer la serpillière sur le rebord de l'évier. Au bout d'une seconde à peine, elle était gorgée d'eau. Je me suis revue à quatre ans devant la baignoire qui déborde.

— Crotte, crotte, crotte, répétait Christina.

Renonçant à couper l'eau, elle a placé sa main à l'extrémité du robinet. L'eau a jailli entre ses doigts.

— Je ne sais pas quoi faire !

— Purée… D'accord, euh… ai-je lancé en parcourant le café du regard. John !

Les trois John ont relevé la tête en même temps. Comprenant ce qui se passait, ils se sont précipités comme un seul homme.

— Pouvons-nous venir derrière le comptoir ? a demandé John Numéro Deux, parce que Christina l'interdisait formellement aux clients.

Le Starbucks et son fameux règlement…

— Bien sûr ! s'est-elle écriée en fermant les yeux à cause des gerbes d'eau.

Les John ont pris les choses en main. John Numéro

Un et John Numéro Deux se sont approchés de l'évier pendant que John Numéro Trois filait à la réserve.

— Écartez-vous, mesdemoiselles, nous a intimé John Numéro Un.

Nous nous sommes exécutées. Le tablier de Christina était trempé, comme son tee-shirt. Et son visage. Et ses cheveux. J'ai attrapé une poignée de serviettes en papier dans le distributeur.

— Tiens.

Elle l'a acceptée sans un mot.

— Euh… tu es fâchée ?

Elle n'a pas répondu. John Numéro Un s'est accroupi et s'est mis à bidouiller la tuyauterie. Je voyais sa casquette monter et descendre.

— Je n'ai rien fait, je le jure, ai-je dit.

Christina a haussé les sourcils jusqu'à la racine de ses cheveux.

— D'accord, c'est vrai, j'ai oublié de fermer le robinet, mais je ne vois pas comment ça a pu détraquer toute la plomberie.

— Ça doit être la tempête, est intervenu John Numéro Deux. Un tuyau extérieur a dû éclater.

John Numéro Un a grogné :

— Je suis sur le point d'y arriver… Si je réussissais seulement à… mmmph… débloquer cette valve… saperlipopette !

Un jet d'eau l'a aspergé pile entre les deux yeux.

— Je ne crois pas que ce soit la bonne, a fait remarquer John Numéro Deux.

L'eau se déversait directement depuis le tuyau maintenant. Christina était au bord des larmes.

— Oh, purée, je suis vraiment désolée, ai-je dit. S'il te plaît, reprends ton visage normal, s'il te plaît…

— Attendez un peu… a lancé John Numéro Deux.

Les glouglous ont diminué. Une ultime goutte d'eau s'est écrasée sur le sol, puis plus rien.

— Ça s'est arrêté, me suis-je émerveillée.

— J'ai coupé l'alimentation principale, a annoncé John Numéro Trois, en surgissant de la réserve avec une serviette.

— Vraiment ? C'est trop génial ! me suis-je écriée.

Il a jeté la serviette à John Numéro Un, qui a essuyé son pantalon.

— C'est pour le sol, pas pour toi, est intervenu John Numéro Deux.

— Je me suis déjà occupé du sol… avec mon pantalon.

— Je ferais mieux d'appeler un vrai plombier, a dit Christina. Et, Addie… je crois que tu devrais prendre ta pause.

— Tu ne veux pas que je t'aide à nettoyer ?

— Je veux que tu prennes ta pause.

— Ah… euh, oui, d'accord. C'était bien mon intention d'ailleurs, mais Travis le Dingo s'est pointé, puis Mayzie la Dingo…

Elle m'a indiqué la réserve.

— C'est toi qui m'as demandé de rester. Enfin, on s'en fiche, mais…

— Addie, je t'en prie. Peut-être que, cette fois-ci, ça n'a rien à voir avec toi, mais c'est pourtant l'impression que j'ai. J'aimerais que tu t'en ailles. Tout de suite.

J'ai filé vers la réserve.

— Ne te bile pas, m'a lancé John Numéro Trois. Elle aura oublié la prochaine fois que tu casseras quelque chose.

J'ai répondu à son clin d'œil par un pauvre sourire.

11

❄❄❄

J'ai retiré mon tee-shirt mouillé et j'en ai pris un sec sur l'étagère. Puis j'ai cherché mon portable dans mon casier et j'ai composé le numéro de Dorrie. Elle a décroché dès la deuxième sonnerie.

— Hello ! championne ! a-t-elle lancé.

— Salut ! Tu as une minute ? Depuis ce matin, il m'arrive des trucs trop bizarres, et il faut que j'en parle à quelqu'un.

— Tu as récupéré Gabriel ?

— Hein ?

— Je t'ai demandé si…

Elle s'est interrompue. Quand elle a repris, j'ai bien senti qu'elle faisait beaucoup d'efforts pour se contrôler.

— Addie ? Je t'en supplie, dis-moi que tu t'es souvenue d'aller à l'animalerie.

J'ai eu l'impression que mon estomac dégringolait, comme un ascenseur dont les câbles auraient lâché.

J'ai raccroché et pris mon manteau. Au moment où je quittais la pièce, mon téléphone a de nouveau sonné. Je n'aurais pas dû répondre, je n'aurais pas dû… mais je l'ai fait.

— Écoute… ai-je commencé.

— Non, toi : écoute. Il est dix heures et demie, et tu avais promis à Tegan d'être à l'animalerie à neuf heures tapantes. Et aucune excuse, tu entends, aucune ne permettra d'expliquer que tu sois encore au Starbucks.

— Tu es injuste. Et si… et si un iceberg était tombé du ciel et m'avait plongée dans le coma.

— C'est le cas ?

J'ai pincé les lèvres.

— Alors laisse-moi te poser une question : la raison de ton oubli a-t-elle à voir avec un quelconque psychodrame ?

— Non ! Et si tu cessais de m'agresser, je pourrais te raconter tous les trucs bizarres qui me sont arrivés depuis ce matin, et tu pigerais.

— Mais est-ce que tu t'entends ? s'est-elle exclamée. Je te demande s'il y a un psychodrame et tu me réponds : « Non, mais attends que je te raconte mon dernier psychodrame. »

— Je n'ai jamais dit ça.

Je n'avais jamais dit ça, si ?

— Ça craint, Addie.

— D'accord, tu as raison, ai-je répondu d'une petite voix. Mais, euh… la journée a été particulièrement zarbi, même pour moi. Je veux juste que tu le saches.

— Bien sûr qu'elle l'a été. Et bien sûr que tu as oublié Tegan, parce qu'il faut toujours, toujours, TOUJOURS que le monde tourne autour de toi… Qu'est-ce que tu as fait du Post-it *Ne pas oublier le cochon* ? Ça te dit quelque chose ?

— Une vieille dame me l'a piqué.

— Une vieille dame… Ha ! ha ! ha ! C'est ça… Tu ne l'as pas perdu, c'est une vioque qui te l'a pris. *L'Incroyable Vie d'Addie.* C'est du non-stop avec toi.

Elle était vraiment blessante.

— Ça n'a rien à voir. J'ai été distraite.

— Va à l'animalerie, a lâché Dorrie d'une voix lasse avant de raccrocher.

12

❄❄❄

La neige scintillait au soleil. Les trottoirs étaient presque entièrement dégagés, mais il y avait encore des plaques, ici ou là, et mes bottines crissaient quand je passais dessus.

Tout en me dirigeant vers l'animalerie, je monologuais intérieurement. *L'Incroyable Vie d'Addie*, ce n'était pas du non-stop. Non, non, et non. J'ai été tentée de rappeler Dorrie, mais je me suis retenue, parce qu'elle trouverait sans aucun doute le moyen de démontrer que c'était une illustration supplémentaire de mon égocentrisme. Pire, elle aurait probablement raison. La meilleure solution était de la rappeler quand je tiendrais Gabriel dans mes petites mains chaudes – ou plutôt froides. Je pourrais lui dire : « Tu vois ? Tout s'est bien passé, c'était pas la peine d'en faire un fromage. » Ensuite, je téléphonerais à Tegan, et je lui « passerais » Gabriel pour qu'elle entende ses grognements.

Non. J'appellerais plutôt Tegan en premier, je lui annoncerais la bonne nouvelle, et ensuite seulement ce serait au tour de Dorrie. Et je ne la narguerais pas, parce que j'étais au-dessus de ça. Ouais. J'étais suffisamment forte pour reconnaître mes erreurs, et suffisamment forte pour ne pas m'écraser chaque fois que Dorrie m'adressait des reproches. Surtout que mon nouveau moi n'en mériterait aucun, de reproche.

J'ai entendu mon portable sonner. *La vache, Dorrie est télépathe ou quoi ?* Soudain, j'ai envisagé une autre possibilité, encore plus terrible : et si c'était Tegan ? Puis une autre, bien plus réjouissante : ou alors… Jeb ?

J'ai farfouillé dans mon sac et ouvert le clapet de mon téléphone. L'écran affichait *PAPA*, et mes espoirs se sont envolés. *Pourquoi ? Pourquoi est-ce que ce n'était pas…* Je me suis aussitôt interrompue. J'ai coupé cette petite voix pleurnicharde au beau milieu de sa complainte, parce que j'en avais assez, parce qu'elle ne me faisait aucun bien et parce que après tout j'avais mon mot à dire sur ce qui se passait dans mon crâne, non ? J'ai rejeté l'appel et rangé le téléphone. Je rappellerais mon père plus tard, après avoir tout arrangé.

Une charmante odeur de hamster a assailli mes narines dès que j'ai franchi le seuil de l'animalerie. Elle était concurrencée par celle de beurre de cacahuètes. Je me suis immobilisée, j'ai fermé les paupières et j'ai récité une prière pour m'encourager à être forte, parce que si l'odeur de hamster était attendue dans un endroit pareil, celle de beurre de cacahuètes ne pouvait signifier qu'une seule chose.

Je me suis approchée de la caisse, et Nathan Krugle a relevé la tête. Ses yeux se sont agrandis avant de se plisser. Il a avalé la bouchée qu'il était en train de mâcher, puis il a posé son sandwich au beurre de cacahuètes.

— Salut, Addie, a-t-il dit d'un air dégoûté, comme si j'étais répugnante.

Alors que c'était lui qui était répugnant ! Nathan était maigrichon, il avait le visage mangé d'acné et il portait des tee-shirts trop petits avec des citations de *Star Trek*. Celui du jour clamait : *Vous mourrez par suffocation dans la solitude glacée de l'espace.*

— Salut, Nathan.

J'ai rabattu ma capuche, et il a découvert mes cheveux. Il a retenu un ricanement.

— Chouette, la coupe.

J'allais lui répondre, mais je me suis abstenue.

— Je suis venue récupérer quelque chose pour une amie. Tegan. Tu la connais.

J'avais cru que la mention de Tegan, et la gentillesse infinie qu'on lui associe, pourrait détourner Nathan de sa vendetta. Je m'étais fourré le doigt dans l'œil.

— En effet. Nous sommes dans le même lycée, a-t-il répondu le regard brillant. Et c'est un petit lycée. Ça paraîtrait presque impossible d'ignorer quelqu'un dans un endroit aussi petit, non ?

J'ai grogné : c'était reparti pour un tour. À croire que nous ne nous étions pas adressé la parole depuis quatre ans, à croire qu'il fallait encore évoquer ce regrettable incident. Nous l'avions déjà fait des dizaines de fois, pourtant. Apparemment, ça ne lui suffisait pas.

— Mais attends, a-t-il repris d'une voix démesurément dramatique. Toi, tu as réussi à ignorer quelqu'un dans un lycée aussi petit !

— C'était en cinquième, ai-je répondu, la mâchoire serrée. Il y a très, très longtemps.

— Tu sais ce que c'est que les Tribules ? a-t-il demandé.

— Oui, Nathan, tu…

— Ce sont des créatures inoffensives en demande d'affection, originaires de la planète Iota Geminorum IV.

— Il me semblait que c'était Iota Gemi-bla-bla V.

— Et, il n'y a pas si longtemps que ça, a-t-il dit en haussant les sourcils pour être sûr que je saisirais l'importance du message, j'étais un Tribule.

— Tu n'étais pas un Tribule, Nathan.

— Et comme un guerrier Klingon…

— S'il te plaît, ne me traite pas de Klingon, je déteste ça.

— … tu m'as éliminé.

J'avais pris appui sur le présentoir contenant la nourriture pour chiens.

— Eh ! s'est-il écrié en claquant des doigts. Ne touche pas à ces croquettes !

J'ai littéralement bondi.

— Désolée… pardon. Et je suis désolée de t'avoir fait de la peine il y a quatre ans. Mais c'est important. Tu m'écoutes ?

— En termes galactiques, quatre années reviennent à une nanoseconde.

Je n'ai pas pu retenir un soupir d'exaspération.

— Je n'ai jamais eu le message ! Je jure sur la tête de Dieu que je ne l'ai jamais eu !

— Mais bien sûr. Tu sais ce que je pense, moi ? Je pense que tu l'as lu, que tu l'as jeté et que tu t'es empressée de l'oublier, parce que tu ne te sens pas concernée par les sentiments des autres.

— Ce n'est pas vrai. Écoute, est-ce qu'on ne pourrait pas… ?

— Faut-il que je te rappelle la teneur dudit message ?

— C'est inutile.

— Je cite : « Chère Addie, voudrais-tu sortir avec moi ? Appelle-moi pour me donner ta réponse. »

— Je n'ai jamais eu le message, Nathan.

— Quand bien même tu ne voulais pas sortir avec moi, tu aurais dû appeler.

— Je l'aurais fait ! Mais je n'ai pas eu le message !

— Le cœur d'un garçon de douze ans est une chose fragile, a-t-il dit sur un ton tragique.

Ma main me démangeait. Je brûlais de lui balancer une boîte de croquettes.

— Très bien, Nathan. Admettons que j'aie reçu le message, ce qui n'est PAS le cas, est-ce que tu ne pourrais pas laisser tomber ? Les gens vont de l'avant. Les gens grandissent. Les gens CHANGENT.

— Oh, je t'en prie… a-t-il rétorqué froidement.

Il me considérait avec un mépris infini. Je me suis soudain rappelé qu'il était ami avec Jeb.

— Les gens comme toi ne changent pas.

Ma gorge s'est serrée. C'était plus que je ne pouvais en supporter. Pourquoi fallait-il que la planète entière soit liguée contre moi ?

— Mais… (Ma voix tremblait, j'ai tenté de me ressaisir, en vain.) Vous ne voyez pas que j'essaie ?

Au bout d'un long moment, il a fini par baisser le regard.

— Je suis venue récupérer le cochon de Tegan, ai-je repris. Est-ce que tu peux me le donner, s'il te plaît ?

— Quel cochon ?

— Celui qui a été déposé ici hier soir. (J'essayais de déchiffrer l'expression de son visage.) Le tout petit, petit. Avec un mot disant : *Ce cochon ne peut être acheté que par Tegan Shepherd !*

— On n'achète pas les animaux ici, on les adopte. Il n'y avait pas de mot, juste une facture.

— Mais il y a bien un cochon ?

— Oui.

— Et il est vraiment tout petit, petit ?

— C'est possible.

— Alors, il aurait dû y avoir un mot sur la cage, mais peu importe. Est-ce que tu pourrais aller me le chercher ?

Il a hésité. J'ai soudain eu une vision de Gabriel seul dans la nuit froide.

— Oh, Nathan ! Dis-moi qu'il n'est pas mort, s'il te plaît !

— Quoi ? Mais non !

— Où est-il, alors ?

Il n'a pas répondu.

— Allez, Nathan, l'ai-je pressé. Ce n'est pas pour moi. C'est pour Tegan. Tu veux vraiment la punir, elle, alors que tu es en colère contre moi ?

— Quelqu'un l'a adopté, a-t-il marmonné.

— Je ne suis pas sûre de comprendre…

— Une dame a adopté le cochon. Elle est venue il y a environ une demi-heure et elle a sorti deux cents dollars. Comment j'étais censé savoir qu'il n'était pas à vendre… à adopter, je veux dire ?

— À cause du mot, imbécile !

— Il n'y avait PAS de mot !

Nous avons réalisé l'ironie de sa protestation au même moment. Nous nous sommes dévisagés.

— Je ne mens pas, a-t-il dit.

Ça ne servait à rien d'insister. La situation était très, très, très grave, et il fallait que je trouve une solution plutôt que de m'acharner sur Nathan et sur une erreur qu'il était trop tard pour effacer.

— D'accord… euh, tu as toujours cette facture ? ai-je demandé. Montre-la-moi.

J'ai tendu la main en remuant les doigts. Nathan a ouvert la caisse : il en a sorti un morceau de papier rose pâle froissé. Je l'ai pris.

— « Un cochon miniature, certifié et vacciné, ai-je lu à voix haute. Deux cents dollars. »

J'ai retourné la feuille et découvert un message manuscrit parfaitement lisible :

— « Payé en totalité. Remettre à Tegan Shepherd. »

— Mince…

J'ai tourné et retourné la feuille à la recherche du nom de l'acheteuse.

— Bob reçoit des animaux tout le temps, a-t-il repris sur la défensive. Ils arrivent, et les gens viennent les adopter. C'est ce qui se passe dans les animaleries.

— Nathan, il faut que tu me dises à qui tu l'as vendu.

— Impossible. C'est une information privée.

— Oui, mais c'est le cochon de Tegan.

— Euh… on la remboursera, j'imagine.

Théoriquement, c'était Dorrie et moi qu'il fallait rembourser, mais je n'ai pas relevé. Je me fichais de l'argent.

— Dis-moi simplement de qui il s'agit, je me chargerai de lui expliquer la situation.

Il s'est balancé sur sa chaise, il paraissait terriblement mal à l'aise.

— Tu connais bien le nom de l'acheteuse ?

— Non.

Je l'ai vu jeter un coup d'œil au tiroir ouvert de la caisse enregistreuse, d'où dépassait l'extrémité d'un ticket de carte bleue.

— Quand bien même je le connaîtrais, je ne pourrais pas t'aider, a-t-il poursuivi. Je ne suis pas autorisé à révéler les détails de transactions commerciales. Mais j'ignore le nom de cette dame de toute façon, alors... euh... ouais.

— D'accord, je comprends. Et... je te crois pour le mot.

— Vraiment ?

Il n'en revenait pas.

— Vraiment, ai-je répondu sincèrement.

Je me suis détournée pour partir en faisant exprès de coincer l'extrémité de ma bottine sous le présentoir de croquettes pour chiens. Il a vacillé, et les sachets en plastique se sont ouverts en tombant, répandant leur contenu un peu partout.

— Ah, non ! me suis-je écriée.

— Mince ! a lâché Nathan.

Il a contourné le comptoir et s'est agenouillé pour ramasser les sachets encore intacts.

— Je suis vraiment désolée, ai-je dit.

Il s'est baissé pour rattraper une croquette égarée, et j'en ai profité pour me pencher par-dessus le comptoir et empocher le reçu de carte bleue.

— Tu dois me détester encore plus maintenant, ai-je lancé.

Il s'est immobilisé, puis s'est redressé en prenant appui sur son genou. Il a fait un mouvement bizarre avec ses lèvres, comme s'il luttait avec les mots qui voulaient sortir de sa bouche.

— Je ne te déteste pas, a-t-il fini par lâcher.

— Ah bon ?

— Je crois simplement que, parfois, tu ne te rends pas compte à quel point tu blesses les gens. Et je ne parle pas juste de moi.

— De qui alors ?

— Oublie ce que je viens de dire.

— Certainement pas. Je t'écoute.

Il a poussé un soupir.

— Je ne voudrais pas que ça te monte à la tête, mais tu n'es pas toujours agaçante.

Sympa, merci pour le super compliment… ai-je failli répliquer, mais j'ai tenu ma langue.

— Tu as… Cette lumière émane de toi, a-t-il continué en rougissant. Avec toi, on se sent spécial, comme si on dégageait la même lumière. Mais quand tu te mets à faire la morte ou à embrasser un conard en douce…

Ma vision s'est brouillée, et pas seulement parce que Nathan disait soudain des choses qui, au lieu d'être déplaisantes, étaient étonnamment gentilles. J'ai baissé les yeux sur mes chaussures.

— C'est dur, Addie. C'est vraiment cruel.

Il a indiqué un sachet de croquettes à côté de ma bottine avant d'ajouter :

— Tu peux me le passer, s'il te plaît ?

Je me suis baissée pour le ramasser.

— Je ne le fais pas exprès, d'être cruelle, ai-je lâché maladroitement en lui tendant le sachet. Et je ne me cherche pas d'excuses, ai-je ajouté en déglutissant, mais, parfois, j'ai besoin qu'on m'éclaire, aussi.

J'étais surprise de constater à quel point j'avais besoin d'expliquer cela à un ami de Jeb. Nathan est resté impassible. Il a laissé ma dernière phrase flotter entre nous, suffisamment longtemps pour que je commence à la regretter. Puis il a grogné avant de dire :

— Je t'accorde que Jeb n'est pas le type le plus démonstratif de la Terre.

— Vraiment ?

— Mais ouvre les yeux, Addie : il est complètement accro.

— Était, l'ai-je corrigé. Ce n'est plus le cas.

J'ai senti une larme couler sur ma joue, puis une autre, et je me suis trouvée ridicule.

— Bon, je vais y aller.

— Eh ! Addie ?

Je me suis retournée.

— Si on reçoit un autre cochon miniature, je t'appelle.

Sous l'acné et le tee-shirt *Star Trek* se cachait un garçon qui n'était pas toujours agaçant, lui non plus.

— Merci, lui ai-je répondu.

13

❄❄❄

À trente mètres de l'animalerie, j'ai sorti le reçu que je venais de subtiliser. À côté de la mention *Nature de l'achat*, Nathan avait gribouillé : *Cochon*. Dans la case réservée aux informations de paiement, le nom suivant apparaissait : *Constance Billingsley*.

J'ai essuyé mes larmes du revers de la main et pris une inspiration pour me calmer. Puis, j'ai envoyé un message télépathique à Gabriel : *Ne t'inquiète pas, petit bonhomme. Je te ramènerai à Tegan, ta place est près d'elle*. Ensuite, j'ai téléphoné à Christina.

— Où es-tu ? Ta pause est terminée depuis cinq minutes.

— C'est pour cette raison que je t'appelle. J'ai une petite urgence et, avant que tu poses la question, non, ce n'est pas un psychodrame à la Addie. Cette urgence concerne Tegan. Elle m'a chargée d'une mission.

— Et qu'est-ce que c'est ?

— Euh, quelque chose d'important. C'est une question de vie ou de mort, même si, ne t'inquiète pas, personne ne risque vraiment de mourir… Sauf moi, si je ne le fais pas, ai-je ajouté après un silence.

— Addie…

Le ton de Christina suggérait que je recourais à ce genre d'argument en permanence, ce qui n'était absolument pas le cas.

— Christina, je ne me fiche pas de toi, et je ne fais pas un drame pour rien, je te le jure.

— Bon, Joyce vient d'arriver, a-t-elle concédé, on devrait s'en tirer toutes les deux.

— Merci, merci, merci ! Je reviens très, très vite !

J'allais raccrocher, mais la petite voix de Christina m'a retenue :

— Attends… ne quitte pas !

— Quoi ?

— Ton amie avec les dreadlocks est là.

— Brenna ? *Beurk*. Ce n'est pas mon amie… Elle n'est pas accompagnée, si ?

— Elle n'est pas avec Jeb, si c'est ce que tu veux savoir.

— Dieu merci. Alors pourquoi tu m'en parles ?

— J'ai pensé que ça pourrait t'intéresser. Ah, et ton père est passé. Il m'a demandé de te dire qu'il avait pris le 4 × 4.

— Quoi ?

Mon regard s'est dirigé vers l'extrémité nord du parking. Il y avait un rectangle de neige tassée à l'endroit où j'avais garé la voiture.

— Pourquoi ? Mais pourquoi a-t-il pris ma voiture ?

— *Ta* voiture ?

— Sa voiture, si tu veux. Quelle mouche l'a piqué ?

— Aucune idée. Pourquoi ? Tu en as besoin pour ta mission ?

— Oui, et je n'ai pas la moindre idée de ce que je vais bien pouvoir…

Je me suis arrêtée net : me plaindre à Christina ne ferait pas avancer mes affaires.

— Laisse tomber, je vais me débrouiller, salut !

J'ai raccroché, puis appelé mon répondeur.

« Vous avez trois nouveaux messages. »

Trois ? Je n'avais entendu mon téléphone sonner qu'une seule fois – mais il n'était sans doute pas très étonnant que la sonnerie soit passée inaperçue avec l'accident des croquettes pour chiens.

— Addie, c'est papa… commençait le premier message.

— Oui, je sais, papa, ai-je soufflé.

— … je vais en ville avec Phil, faire des courses pour ta mère. Je prends le 4 × 4, alors ne le cherche pas. Je passerai te chercher à deux heures.

— Noooooon !

« Message suivant », m'a informée mon téléphone.

Je me suis mordillé la lèvre inférieure, en priant pour que ce soit encore mon père qui me dirait : « Ha ! ha ! je t'ai bien eue. Je ne suis pas parti avec la voiture, je l'ai seulement déplacée. Ha ! ha ! » Mais ce n'était pas lui, c'était Tegan.

— Hello, Addidie ! Tu as Gabriel ? Tu l'as, tu l'as, tu l'as ? Je suis trop impatiente de le voir. J'ai dégoté une lampe à UV dans la cave (tu te rappelles l'année où mon père avait essayé de faire pousser des tomates ?) et je l'ai installée pour que Gabriel ait bien chaud dans son petit lit. Ah, et tant que j'y étais, j'ai fouillé dans mes jouets et j'ai retrouvé un fauteuil de poupée, qui est exactement à la bonne taille. J'ai aussi mis la main sur un sac à dos avec une étoile, même si je ne suis pas sûre qu'il en aura vraiment l'usage. Enfin, on ne sait jamais, hein ? Très bien, alors… appelle-moi ! Appelle-moi dès que possible ! La déneigeuse est à deux rues de chez moi, et si je n'ai pas de tes nouvelles d'ici là, je file au Starbucks, d'accord ? Salut !

J'avais la gorge complètement nouée et je suis restée plantée là à écouter la voix enregistrée m'annoncer le dernier message. C'était encore Tegan.

— Ah, et, Addie, merci. Merci du fond du cœur.

Tout de suite je me sentais beaucoup mieux… J'ai rangé mon téléphone en me maudissant de ne pas m'être rendue à l'animalerie à neuf heures pile, comme prévu. Mais, plutôt que de pleurnicher sur mon sort, je pouvais régler le problème. L'ancienne Addie se serait apitoyée sur elle sans bouger le petit doigt jusqu'à en avoir des gelures et perdre ses orteils… La nouvelle Addie n'était pas une chouineuse, elle.

Très bien. Où pouvais-je trouver rapidement une voiture pour m'aider à sauver un cochon ?

14

❄❄❄

Christina ? Impossible. C'était son copain qui l'avait déposée au travail, comme tous les matins. Joyce, la *barista* qui venait de prendre son service, n'avait pas non plus de voiture. Elle se rendait au Starbucks à pied, quelle que soit la météo, et elle portait toujours un podomètre pour savoir quelle distance elle avait parcourue.

Ni Dorrie ni Tegan, parce que a) leurs rues étaient encore (du moins, je l'espérais) enneigées, et b) il était hors de question que je leur explique pourquoi j'avais besoin d'une voiture.

Pas non plus Brenna, le ciel m'en préserve. Si je lui demandais de m'emmener à l'extrémité sud de la ville, elle partirait vers le nord, rien que pour me contrarier. Elle mettrait son reggae fusion à fond les ballons – musique qui, personnellement, m'évoquait des zombies drogués jusqu'à la moelle.

Il ne restait qu'une seule solution : l'incarnation du mal. J'ai décoché un coup de pied dans un tas de neige, parce que c'était la dernière personne au monde que je voulais appeler, la dernière.

Tu sais quoi, Addie ? Tu vas mettre ton mouchoir dessus pour Tegan. De toute façon, c'est ça, ou adieu Gabriel…

J'ai ressorti mon portable, parcouru la liste de mes contacts et pressé la touche appel. Mes orteils se sont crispés dans mes bottines pendant que je comptais les sonneries. Dring, un, dring, deux, dring, trois…

— Yep ! a lancé Charlie en décrochant. La forme ?

— C'est Addie. J'ai besoin de ta voiture, et je ne te le demanderais pas si j'avais une autre option. Je suis devant l'animalerie, passe me prendre.

— Mais c'est qu'on est d'humeur à jouer au petit chef, ce matin ! a-t-il lancé. Ça me plaît.

— Tant mieux. Tu viens me chercher alors ?

— Qu'est-ce que tu me donnes en échange ? a-t-il demandé en baissant la voix.

— Un *chaï* gratos.

— Un grand ?

J'ai serré les dents, parce que même sa façon de dire « grand » était lubrique.

— Oui, un grand. Tu es parti ?

— Patiente un peu, chérie, a-t-il répondu en ricanant. Je suis encore en caleçon. C'est une grande taille… et pas parce que je suis gros, si tu me suis.

— Rapplique *illico presto*, ai-je dit.

Au moment de raccrocher, j'ai pensé à une dernière chose :

— Et apporte un annuaire.

J'ai frissonné en rangeant mon portable et me suis maudite, une nouvelle fois, d'être sortie avec un abruti pareil. C'est vrai qu'il était canon et qu'à une époque je l'avais, enfin je crois, trouvé drôle. Mais ce n'était pas Jeb.

Dorrie avait bien résumé ce qui les différenciait, un soir. Pas *le* fameux soir, non, avant. Avachies dans un canapé, on listait, elle et moi, les qualités et défauts des mecs présents à la soirée. Quand le tour de Charlie était venu, Dorrie avait poussé un soupir.

— L'ennui avec lui, c'est qu'il est irrésistible, et qu'il le sait. Il peut avoir n'importe quelle fille de première…

— Pas moi ! l'avais-je interrompue en équilibrant mon verre sur mon genou.

— … si bien qu'il traverse la vie comme un gosse de riche.

— Charlie est riche ? Je l'ignorais…

— La conséquence, c'est qu'il n'a aucune profondeur. Il n'a jamais été contraint de travailler pour obtenir quoi que ce soit.

— J'aimerais bien ne pas avoir à travailler, avais-je rétorqué. J'aimerais bien être riche.

— Bien sûr que non, Addie ! Tu m'as écoutée, au moins ?

Elle m'avait arraché mon verre, mais je n'avais pas eu le temps de protester, parce qu'elle avait enchaîné :

— Prends Jeb, par exemple. Plus tard, ce sera le genre d'homme qui consacrera ses dimanches à montrer à son fils comment faire du vélo.

— Ou à sa fille. Ou à ses jumeaux ! On aura peut-être des jumeaux !

— Charlie, lui, jouera au golf pendant que ses rejetons commettront des meurtres virtuels dans leurs jeux vidéo. Il sera élégant, et il gâtera ses enfants, mais il ne sera jamais vraiment présent.

— C'est tellement triste, avait-je lâché avant de réclamer mon verre. Ça veut dire que ses enfants ne monteront jamais sur un vélo ?

— Sauf si Jeb s'occupe d'eux...

On s'était interrompues pour observer les gars qui jouaient au billard. Charlie avait réussi à faire entrer une boule, et il avait brandi le poing.

— C'est ce que j'appelle avoir de la classe ! Je déchire !

Jeb m'avait cherchée du regard, et un sourire était passé sur ses lèvres. Je m'étais sentie heureuse ; ses yeux me disaient : *Tu m'appartiens et je t'appartiens. Merci de ne pas utiliser des expressions aussi ridicules que « Je déchire ».*

Ce sourire esquissé, ces échanges muets... qu'est-ce que je n'aurais pas donné pour les retrouver... Et dire que je les avais bazardés pour le type qui venait d'entrer en trombe dans le parking avec un 4 × 4 gris grotesque. Il a pilé, m'aspergeant de neige.

— Eh ! a-t-il lancé en baissant sa vitre. Osé, le rose !

— La ferme ! l'ai-je averti en me glissant sur le siège passager (j'avais l'impression de monter dans un tank). Et évite de me regarder... Tu as apporté l'annuaire ?

Il a indiqué la banquette arrière avec son pouce. Je l'ai ouvert à la lettre B. Baker, Barnsfeld, Belmont...

— Ça me fait plaisir que tu aies appelé. Tu m'as manqué.

— La ferme ! Je ne t'ai absolument pas manqué.

— Je te trouve très désagréable pour quelqu'un qui a besoin d'un service. (J'ai levé les yeux au ciel.) Sérieux, Addie. Puisque tu as rompu avec Jeb – j'en suis d'ailleurs désolé –, j'espérais qu'on pourrait, tu vois, tenter le coup.

— Ça n'arrivera jamais, alors, maintenant, ferme-la !

— Pourquoi ?

Je l'ai ignoré. Bichener, Biggers, Bilson…

— Addie, j'ai tout laissé en plan pour venir te chercher. Tu pourrais au moins m'expliquer, non ?

— Je suis désolée, mais non.

— Pourquoi ?

— Parce que tu es un trouduc.

— Depuis quand tu traînes avec JP ? s'est-il esclaffé.

Il a refermé l'annuaire, et j'ai réussi, *in extremis*, à glisser mon doigt pour repérer la page où j'en étais.

— Eh !

— Sérieusement, pourquoi tu ne veux pas sortir avec moi ?

J'ai relevé les yeux pour le clouer sur place. Il devait bien savoir que je regrettais de l'avoir embrassé, non ? Et que je n'avais aucune envie d'être dans ce tank ridicule ? Pourtant, l'expression de son visage m'a surprise. Est-ce que c'était… ? Oh, non… Est-ce que ces yeux verts m'imploraient ?

— Je t'aime vraiment bien, Addie, et tu sais pourquoi ? Parce que tu es *revêche.*

Il avait prononcé ce mot avec le ton pervers qui lui était si familier.

— Je t'interdis de me dire des choses pareilles. Je ne suis pas *revêche.*

— Bien sûr que si. Et tu roules des super pelles.

— J'ai commis une erreur. J'avais bu, et j'ai fait une bêtise.

Ma gorge s'est serrée, et j'ai dû me tourner vers la vitre le temps de me ressaisir. J'ai tenté de changer de sujet de conversation, ensuite :

— Qu'est-ce qui s'est passé avec Brenna ?

— Brenna… a-t-il dit en se calant contre l'appuie-tête. Brenna, Brenna, Brenna.

— Elle ne te plaît plus ?

Il a haussé les épaules.

— Apparemment, elle sortirait avec quelqu'un d'autre… Il est difficile d'imaginer que tu n'es pas au courant. En tout cas, c'est ce qu'elle prétend. J'ai du mal à y croire. Si tu étais dans cette position, tu choisirais Jeb plutôt que moi ?

— Sans hésitation.

— Touché…

Derrière son air poseur, j'ai perçu, une nouvelle fois, sa détresse.

— Autrefois, Brenna m'aurait choisi, mais je n'ai pas été cool.

— Ouais, eh bien, je sais, j'étais là. Et j'ai été encore moins cool.

— Voilà pourquoi on ferait un super couple. Qui se ressemble s'assemble.

— Hein ?

— Toi et moi, on se ressemble.

— Oui, j'avais compris, simplement…

— Alors qu'est-ce que t'en dis, Rosie ? Trixie organise une soirée rock pour le nouvel an. On y va ensemble ?

— Non, ai-je répondu en secouant la tête.

Il a posé sa main sur ma cuisse.

— Je sais que tu traverses une mauvaise passe, laisse-moi te consoler.

Je l'ai repoussé.

— Charlie, je suis amoureuse de Jeb.

— Ça ne t'a pas retenue l'autre jour. De toute façon, il t'a larguée.

Je n'ai rien répondu : il avait dit la vérité. Sauf que je n'étais plus cette fille. J'avais changé.

— Charlie… je ne peux pas sortir avec toi en étant amoureuse de quelqu'un d'autre. Quand bien même cette personne ne veut plus de moi.

— Purée ! a-t-il lâché en portant la main à son cœur. Je ne m'étais jamais pris un vent pareil !

Il a éclaté de rire et, en un clin d'œil, il est redevenu ce bon vieux Charlie.

— Et Tegan ? Elle est canon. Tu crois qu'elle m'accompagnerait à la soirée de Trixie ?

— Rends-moi l'annuaire, ai-je exigé.

Il a obtempéré. J'ai parcouru les entrées jusqu'à ce que… bingo !

— « Billingsley, Constance, ai-je lu. 108, Tea Court. » Tu sais où se trouve cette rue ?

— Je n'en ai pas la moindre idée. Mais t'inquiète : Lola est là.

— Les mecs donnent toujours un petit nom à leur voiture ?

Il a entré l'adresse dans le GPS.

— Le chemin le plus rapide ou le plus court ?

— Le plus rapide.

Il a sélectionné la bonne option et une voix féminine a lancé :

« Veuillez, s'il vous plaît, suivre la route indiquée. »

— Ah ! me suis-je écriée. Bonjour, Lola !

— C'est la femme de ma vie, a complété Charlie.

Il a enclenché la boîte de vitesses et traversé le parking. Sur l'indication de Lola, il a tourné à droite, parcouru un pâté de maisons, puis pris de nouveau à droite dans une ruelle étroite.

« Veuillez vous préparer à tourner à gauche dans un kilomètre, a ronronné Lola. Tournez à gauche… *maintenant.* »

Charlie a obtempéré, engageant le 4 × 4 dans une impasse charmante, qui n'avait pas encore vu la déneigeuse. Lola a poussé un petit *gling* avant d'annoncer :

« Vous êtes arrivé à destination. »

Charlie a coupé le moteur. Il s'est tourné vers moi en haussant les sourcils.

— C'est bien là que tu voulais que je t'emmène ?

J'étais aussi surprise que lui. J'ai tendu le cou pour lire la plaque à l'angle de l'impasse : il y avait bien écrit *Tea Court.* L'arrière du Starbucks se trouvait à une cinquantaine de mètres. Le trajet ne nous avait pas pris plus de trente secondes.

Charlie a éclaté de rire.

— La ferme ! ai-je dit en essayant de contrôler le rouge qui me montait aux joues. Tu ne savais pas plus que moi où ça se trouvait.

— Ne me dis pas que tu n'es pas revêche. Tu es une revêche avec un grand R.

J'ai ouvert la porte et sauté à pieds joints dans plusieurs centimètres de neige.

— Je t'attends ?

— Je crois que je m'en sortirai toute seule.

— Tu es sûre ? C'est loin…

J'ai claqué la portière et me suis éloignée. Il a baissé la vitre côté passager pour me lancer :

— On se voit au Starbucks ! Pour mon *chaï* !

15

❄❄❄

Je me suis frayé un chemin à travers la neige pour atteindre l'immeuble du 108, Tea Court, tout en priant pour que Constance Billingsley n'ait pas d'enfant en bas âge : je n'étais pas sûre d'être capable de reprendre un bébé cochon à un gosse. J'ai aussi croisé les doigts pour qu'elle ne souffre d'aucun handicap...

Quelqu'un avait dégagé l'allée menant aux appartements, et j'ai enjambé une petite congère pour emprunter cette voie moins risquée. 104, 106... 108. J'ai carré les épaules avant de sonner.

— Mais, rebonjour, Addie ! s'est exclamée la femme aux tresses grises, qui m'a ouvert. Quelle surprise !

— Mayzie ? ai-je dit, interloquée. Connaîtriez-vous... euh... Constance Billingsley ? ai-je demandé après avoir vérifié le reçu de carte bleue.

— Constance May Billingsley, c'est moi.

J'avais du mal à percuter.

— Mais…

— Je te pose la question : te ferais-tu appeler Constance si tu avais hérité d'un prénom pareil ?

— Euh…

— Moi non plus. Entre donc, j'ai quelque chose à te montrer. Entre, entre !

Elle m'a emmenée dans la cuisine, où se trouvait, sur une couverture bleue, le plus adorable cochon que j'aie jamais vu. Il était rose et noir, son poil paraissait très doux, et son groin était tordant. Il avait le regard vif et curieux, et la queue en tire-bouchon. Il pouvait effectivement tenir dans un mug. Il a grogné, et j'ai aussitôt fondu.

— Gabriel… ai-je dit en m'agenouillant.

Il s'est redressé pour renifler ma paume. Il était si mignon que ça m'était complètement égal d'avoir de la morve de cochon sur la main. Ce n'était pas vraiment de la morve, de toute façon – Gabriel avait simplement le groin humide.

— Comment viens-tu de l'appeler ? Gabriel ?

Le visage de Mayzie s'est illuminé d'un sourire mystérieux.

— Gabriel… a-t-elle répété d'un air appréciateur. Comme l'ange Gabriel !

— Hein ?

Elle s'est composé une expression sérieuse avant de lancer :

— « Il est temps, dit le Morse, d'évoquer toutes ces choses : chaussures, voilures, et cire, pois et rois ; le bouillonnement de la mer et les ailes des cochons. »

— Je vais être franche, je ne sais absolument pas de quoi vous parlez.

— « Et les ailes des cochons », a-t-elle répété. Ce poème mentionne des cochons qui seraient des anges ! L'ange Gabriel !

— Je ne suis pas sûre que mon amie ait choisi ce nom pour cette raison. Et j'aimerais autant que vous ne parliez plus d'anges. Sincèrement.

— Mais pourquoi ? a-t-elle rétorqué en me couvant du regard. Tu as réussi, Addie. J'en étais sûre !

Je me suis relevée en prenant appui sur mes cuisses.

— Réussi quoi ?

— Le test !

— Quel test ?

— Et moi aussi ! s'est-elle écriée. En tout cas, il me semble. On le saura rapidement, de toute façon.

Mon cœur s'est serré.

— Mayzie, vous avez acheté Gabriel intentionnellement ?

— Je ne l'ai pas adopté par accident.

— Vous comprenez très bien ce que je veux dire. Vous avez vu le Post-it, et le message concernant le cochon. Est-ce que vous avez pris Gabriel pour me faire tourner en bourrique ?

Ma lèvre inférieure s'est mise à trembler, ses yeux se sont agrandis d'horreur.

— Mais non, trésor !

— Je suis allée à l'animalerie, et Gabriel n'était plus là… Vous imaginez l'état dans lequel j'étais ? (J'ai ravalé mes larmes.) J'ai dû discuter avec Nathan, qui me déteste, ai-je poursuivi en reniflant. Sauf que maintenant il ne me déteste peut-être plus…

— Bien sûr. Comment pourrait-on te détester ?

— Ensuite, j'ai été forcée de solliciter Charlie qui, croyez-moi sur parole, n'est pas un cadeau.

Même si, étonnamment, je m'en suis plutôt bien sortie…

Je me suis essuyé le nez du revers de la main.

— Continue… m'a encouragée Mayzie.

— Je crois qu'il est encore plus perdu que moi.

— Je m'occuperai peut-être de lui après… a-t-elle lâché d'un air intrigué.

Je me suis soudain rappelé que Mayzie n'était plus mon amie, à supposer qu'elle l'ait jamais été. C'était juste une toquée qui avait le cochon de Tegan.

— Est-ce que vous comptez me rendre Gabriel ? ai-je demandé de la voix la plus égale possible.

— Oui, bien sûr. Je n'ai jamais eu l'intention de le garder. (Elle a soulevé Gabriel pour placer son groin contre son nez.) Pourtant tu vas me manquer. J'ai beaucoup apprécié de t'avoir avec moi dans cet appartement.

Elle l'a placé au creux de son coude et a déposé un baiser sur le sommet de sa tête.

— Vous allez me le rendre aujourd'hui ?

— Je t'ai contrariée, n'est-ce pas, trésor ?

— Peu importe, je veux juste récupérer Gabriel.

— Et moi qui pensais que tu serais heureuse d'avoir un ange gardien. N'est-ce pas ce que tu voulais ?

— Lâchez-moi avec cette histoire ! Je ne plaisante pas. Si vous êtes mon ange gardien, j'exige d'être remboursée !

Mayzie a gloussé… Je l'aurais étranglée !

— Adeline, tu te mets la barre plus haut qu'il n'est nécessaire. Ce n'est pas ce que le monde nous donne qui compte, mais ce que nous, nous lui donnons.

J'ai ouvert la bouche pour lui rétorquer combien sa philosophie new age était débile, mais aucun mot n'est sorti. Un énorme bouleversement, pareil à une avalanche, s'est produit en moi, et je n'ai plus eu la force de résister. Ce sentiment était si puissant, et j'étais si petite… Je me suis laissée aller. C'était merveilleux. À tel point que je ne parvenais pas à comprendre pourquoi je m'y étais opposée si longtemps. La vache ! Tout ce temps j'avais eu en moi cette façon d'être au monde, qui n'était ni étriquée ni emmêlée ? Je me sentais incroyablement bien. Ce sentiment était incroyablement pur. Peut-être que Nathan avait raison, peut-être que j'avais cette lumière en moi, et peut-être qu'il suffisait simplement… que je la laisse rayonner et que j'envoie balader tout ce qui n'allait pas dans ma vie. Était-ce donc possible ? Est-ce que moi, Adeline Lindsey, je pouvais… changer ?

Mayzie m'a raccompagnée à la porte.

— Il est temps que tu y ailles, a-t-elle dit.

— D'accord, ai-je répondu même si je traînais les pieds, parce que je n'étais plus du tout en colère contre elle.

À vrai dire, maintenant je m'en voulais même de l'abandonner. J'aurais aimé qu'elle se sente aussi épanouie que moi, et je craignais que ce soit difficile dans son petit appartement, où elle se retrouverait bientôt seule.

— Est-ce que je pourrais passer vous voir de temps à autre ? Je vous promets de ne pas vous embêter.

— Je pense que tu n'y arriverais pas même en faisant des efforts. Je serais enchantée de recevoir ta visite, a-t-elle répondu avant d'ajouter à l'intention de Gabriel : Tu as vu comme elle a bon cœur ?

— Et je vous rembourserai pour le cochon. J'irai tout expliquer à Nathan.

— Si quelqu'un en est capable, c'est bien toi, a-t-elle rétorqué dans un éclat de rire.

— Alors… Oui, c'est ça, je vous apporterai votre argent et je prendrai ces biscuits glacés au chocolat que vous aimez tant, et on boira du thé. On pourrait organiser un goûter toutes les semaines. Qu'est-ce que vous en dites ?

— J'en dis que c'est une idée formidable.

Elle m'a tendu Gabriel, et il a remué ses petites pattes. Je me suis imprégnée de son odeur divine : il sentait la crème fouettée.

16

❄❄❄

J'avais mis Gabriel à l'abri sous mon manteau le temps de me frayer un chemin dans l'impasse enneigée. Je me suis mise à rêver que la camionnette des Baskets ailées apparaisse miraculeusement au coin de la rue pour m'emmener, mais j'avais seize ans, pas soixante-seize. Au moins, j'avais encore suffisamment d'énergie pour enjamber ces congères. Ce ne serait sans doute pas le cas dans soixante ans. Gabriel a poussé un grognement aigu.

— Tiens bon, petit bonhomme. On n'est plus très loin.

À mi-chemin du Starbucks, j'ai aperçu la guimbarde de Tegan à un feu rouge, deux rues plus bas. Purée, elle serait là dans moins de trois minutes ! J'ai pressé le pas, parce que je voulais être à l'intérieur avant elle. Je mettrais Gabriel dans un mug avant de le lui donner. Ce serait trop mignon, non ?

J'ai ouvert la porte d'un coup de hanche, et Christina a relevé les yeux de la machine à café. Joyce, l'autre *barista*, ne semblait pas dans les parages.

— Tu es là ! Enfin ! s'est écriée Christina. Est-ce que tu peux prendre la commande de ces clients ?

Elle a fait un geste en direction d'un couple qui patientait devant la caisse. Je n'en ai pas cru mes yeux. C'était Stuart Weintraub ! Le Stuart qui avait eu le cœur brisé pour toujours par Chloé. Sauf que la fille qui l'accompagnait n'était pas Chloé. À vrai dire, elle était même l'exact opposé de Chloé avec son petit carré et ses lunettes papillon. Elle m'a souri timidement, et mon cœur s'est emballé : elle avait l'air adorable, et surtout elle tenait la main de Stuart, et surtout, surtout, elle ne portait pas de rouge à lèvres criard. Ça ne devait pas être le genre de fille à tromper son mec dans les toilettes.

— Stuart !

— Salut, Addie. Tu t'es coupé les cheveux.

J'ai porté une main à ma tête, tout en maintenant fermement, de l'autre, Gabriel, qui essayait de s'échapper du manteau.

— Euh… ouais. C'est qui ? ai-je ajouté en tendant le menton vers la fille qui l'accompagnait.

Je reconnais que c'était peut-être un peu brusque, enfin, Stuart s'était non seulement débarrassé de Chloé, mais aussi de ses yeux tristes ! Façon de parler bien sûr. Il avait toujours des yeux, mais ils étaient joyeux. Et son bonheur le rendait très séduisant.

Bravo, Stuart, ai-je pensé. *Tu as eu ton miracle de Noël, toi.*

Stuart a souri à la fille en disant :

— C'est Jubilé. Jubilé, je te présente Addie. On est dans le même lycée.

Oh ! Il sort avec quelqu'un qui porte un nom de dessert de Noël, c'est trop mignon !

— Merci… a rétorqué Jubilé en donnant un coup de coude à Stuart. C'est un drôle de nom, je sais, a-t-elle ajouté à mon intention en rougissant. Je ne suis pas strip-teaseuse, je le jure.

— Ah… d'accord, ai-je répondu.

— Tu peux m'appeler Julie.

— Nan, j'aime bien Jubilé.

En prononçant son prénom, un souvenir a surgi dans ma mémoire. *Tegan… Les Obsédées de la pelle… Un type qui était l'opposé de Jeb et qui brandissait le poing…*

— Et si tu prenais leur commande ? a suggéré Christina, chassant aussitôt la réminiscence qui se précisait lentement.

Peu importait de toute façon. Stuart était avec une fille adorable qui s'appelait Jubilé, et elle ne pratiquait pas l'art de l'effeuillage. C'était tout ce qui comptait.

— Et si tu prenais leur commande tout de suite ? a poursuivi Christina, me tirant une nouvelle fois de mes pensées.

— Euh… oui ! ai-je répliqué avec enthousiasme (trop, sans doute). Dans une seconde, d'acc ? Je dois juste faire ce tout petit truc avant.

— Addie… m'a menacée Christina.

Tobin s'est alors retourné dans le fauteuil violet. Venait-il de se réveiller ?

— Waouh ! Tu es Addie ? a-t-il demandé en se frottant les yeux.

— Mmm, oui, c'est bien moi, ai-je répondu en pensant : *J'avais raison ! Je savais bien que tu ne connaissais pas mon nom !*

J'ai coincé Gabriel sous mon bras pour qu'il reste bien dissimulé, et il a poussé un drôle de cri qui ressemblait à un sanglot.

— Je file juste à la réserve, j'en ai pour deux secondes…

Il a grogné plus fort.

— Addie, a repris Christina d'une voix qu'elle cherchait à contrôler. Qu'est-ce que tu caches sous ton manteau ?

— Addidie ! a lancé Charlie depuis une table. Tu me sers ce *chaï* gratos ?

Il souriait, et j'ai compris pourquoi en voyant qu'il avait son bras passé autour des épaules d'une fille. Oh, bon sang ! c'était carrément une avalanche de miracles de Noël !

— Salut, Addie, a lancé Brenna la Maléfique. Chouette coupe.

Je n'arrivais pas à savoir si elle se moquait ou non. Elle n'avait pas l'air aussi maléfique que dans mon souvenir… Non, elle n'avait rien de sarcastique. C'était peut-être dû à la présence de Charlie ?

— Sans déconner, a repris Tobin, tu t'appelles Addie ?

Il a secoué Angie, qui s'est réveillée à son tour.

— Elle s'appelle Addie, lui a-t-il dit. Tu crois que c'est *la* Addie ?

— *La* Addie ? ai-je demandé.

De quoi parlait-il ? Je comptais obtenir des explications, mais j'ai été distraite en voyant la voiture de Tegan entrer dans le parking. Dorrie se trouvait sur le siège passager : elle serrait l'épaule de Tegan et s'adressait à elle avec gravité. Pas besoin d'être dotée d'une imagination débordante pour se figurer ce qu'elle lui racontait :

« Souviens-toi, surtout, qu'il s'agit d'Addie. Il est tout à fait possible qu'un nouveau psychodrame l'ait empêchée d'aller chercher Gabriel. »

— Adeline… Ce n'est pas… un cochon, rassure-moi ?

La voix de Christina m'a tirée de ma rêverie. En baissant les yeux, j'ai vu que Gabriel avait pointé la tête au-dessus de ma fermeture Éclair. Il examinait les alentours en poussant de petits grognements aigus.

— Pas n'importe quel cochon, ai-je répondu fièrement en lui grattant les oreilles. C'est un cochon miniature. Ils sont très rares.

En souriant, Jubilé a lancé à Stuart :

— Tu vis dans une ville où les gens se baladent avec des bébés cochons ? Et moi qui pensais que ma vie était zarbi…

— Pas bébés, miniatures. D'ailleurs, j'aurais besoin d'un de ces mugs de Noël, Christina. Tu pourras le retenir sur ma paie ?

Je me suis dirigée vers le présentoir, mais Tobin m'a arrêtée en m'attrapant par le coude.

— Tu es *la* Addie qui sort avec Jeb Taylor ?

Ça m'a sciée. Tobin ne connaissait pas mon nom, mais il savait que je sortais avec Jeb ?

— Je… euh… eh bien… Pourquoi ?

— Parce qu'il m'a demandé de te transmettre un message. Mince, j'ai pas assuré.

Mon cœur menaçait d'exploser dans ma poitrine.

— Un message ? Quel message ?

Tobin s'est tourné vers Angie.

— Je suis vraiment débile. Pourquoi tu ne me l'as pas rappelé ?

— Que tu étais débile ? a-t-elle répondu avec un sourire ensommeillé. Très bien : tu es débile.

— Sympa, je te remercie.

Elle a éclaté de rire.

— Le message… ai-je réussi à articuler.

— Ah oui ! Alors voilà : il a été retardé.

— Par des pom-pom girls, a complété Angie.

— Je te demande pardon ?

— Des pom-pom girls ? a répété Jubilé en s'approchant avec Stuart. Je n'y crois pas ! Des pom-pom girls !

— Les pom-pom girls étaient dans le même train que lui, ils ont été bloqués par la neige, a expliqué Tobin.

— J'étais dans ce train ! s'est écriée Jubilé.

Stuart est parti d'un grand rire qui disait qu'il était amoureux de cette fille même si elle était un peu zinzin.

— Tu as bien dit Jeb ? a-t-elle poursuivi. Je lui ai donné une part de pizza.

— Tu lui as donné… quoi ? ai-je demandé.

— À cause de la tempête ? est intervenu Charlie.

J'ai fait volte-face.

— Pourquoi lui aurait-elle donné une part de pizza à cause de la tempête ?

— Mais non ! a-t-il répliqué en sautant de son tabouret et en entraînant Brenna pour nous rejoindre près des fauteuils violets. Je voulais savoir si le train avait été arrêté par la tempête, trouduc.

Tobin a réagi au mot *trouduc* : il a regardé Charlie comme s'il venait de voir une apparition. Une fois remis de son étonnement, il a continué :

— Euh, oui, exactement. Et les pom-pom girls ont enlevé Jeb pour en faire leur esclave.

Charlie a éclaté de rire.

— C'est ça…

— Pas le genre d'esclave auquel tu penses, a rétorqué Angie, alors que Brenna décochait un coup de coude dans les côtes de Charlie.

— Quel genre alors ? ai-je demandé.

J'avais la tête qui tournait. Loin, très loin, j'ai entendu une portière de voiture claquer, puis une deuxième. Du coin de l'œil, j'ai aperçu Tegan et Dorrie qui se rapprochaient à grands pas du Starbucks. Tobin me considérait avec ce regard que j'avais appris à déchiffrer, celui qui signifiait qu'il n'avait pas la réponse.

— Bon… est-ce qu'il y avait autre chose ? ai-je insisté en changeant de stratégie.

— Comment ça ?

— Dans le message de Jeb !

— Ah… oui ! Oui, il y avait autre chose ! Mais… mince…

Angie a eu pitié de moi. Elle s'est tirée de sa torpeur.

— Il a dit qu'il arrivait. Il a ajouté que tu saurais ce que ça signifiait.

Mon cœur s'est arrêté de battre, et le monde extérieur a disparu. C'était comme si quelqu'un avait coupé le son. Ou peut-être que la voix en moi l'emportait sur tout le reste. *Il a dit qu'il arrivait ? Jeb arrivait ?*

Un bruit m'est parvenu, malgré tout, et j'ai pensé : *Chaque fois qu'une cloche sonne, un ange naît.* Une bourrasque d'air glacial m'a ramenée à la réalité, et j'ai compris que c'était la clochette de la porte d'entrée qui venait de tinter.

— Addie, tu es là ! s'est écriée Dorrie, en fondant sur moi avec son bonnet rouge.

Derrière elle, Tegan rayonnait.

— Il est là ! On l'a vu dans le parking !

— C'est moi qui l'ai repéré, a fait remarquer Dorrie. On dirait qu'il a passé plusieurs jours dans la jungle, alors prépare-toi. Pour être franche, l'image qui me vient à l'esprit est celle du yéti, mais…

Elle s'est interrompue en apercevant Stuart et Jubilé.

— Stuart est avec une fille, a-t-elle chuchoté d'une voix suffisamment forte pour ébranler les murs.

— Je sais ! ai-je répondu sur le même mode.

J'ai souri à Stuart et Jubilé, qui étaient devenus aussi rouges que le bonnet de Dorrie.

— Salut, Dorrie, salut, Tegan, a-t-il lancé.

Il a placé un bras autour des épaules de Jubilé : il y avait de la nervosité mais aussi une sincérité désarmante dans son geste.

— Gabriel ! a hurlé Tegan.

Elle s'est précipitée pour me le prendre, ce qui tombait bien parce que je commençais à faiblir. À vrai dire, mon corps entier faiblissait, parce que la cloche de la porte venait tout juste de tinter,

et que c'était Jeb,

et qu'il était dans un état pitoyable,

et que j'ai senti monter dans ma gorge des sanglots mêlés d'éclats de rire, parce qu'il ressemblait vraiment au yéti, avec ses cheveux emmêlés, ses joues gercées et mal rasées.

Ses yeux sombres sont passés d'un client à l'autre avant de se poser sur moi. Il s'est approché en deux enjambées et m'a prise dans ses bras. Je l'ai serré de toutes mes forces.

— Addie, ces deux jours ont été complètement dingues, m'a-t-il susurré au creux de l'oreille.

— Ah oui ? ai-je dit en me perdant dans la réalité de sa présence.

— Pour commencer, mon train a été bloqué. Ensuite, il y avait ces pom-pom girls, et on a tous fini à la Waffle House. Elles m'ont demandé de les aider pour les parades…

— Les parades ?

Je me suis reculée pour voir son visage, tout en gardant mes mains serrées autour de sa taille.

— Mon portable était cassé, elles avaient toutes laissé le leur dans le train pour pouvoir se concentrer sur l'*esprit*, ou un truc comme ça, et j'ai voulu utiliser le téléphone du restaurant, mais le manager a refusé. « Désolé, c'est impossible. On est en situation de crise, mon pote. »

Tobin a piqué du nez vers ses chaussures.

— Tu vois ce qui arrive quand les garçons sont obsédés par les pom-pom girls ? lui a demandé Angie.

— Il serait néanmoins injuste d'avoir des préjugés contre toutes les pom-pom girls, a renchéri Jubilé. On se contentera de celles dont le prénom rime avec *saleté*. Hein, Stuart ?

Il a eu l'air amusé. Jubilé a adressé un signe de la main à Jeb.

— Salut, Jeb.

— Julie ! Qu'est-ce que tu fais là ?

— Elle ne s'appelle pas Julie, mais Jubilé, lui ai-je soufflé.

— Jubilé ? Waouh…

— Non, a lancé Christina (et nos dix têtes se sont tournées vers elle). Je suis la seule à pouvoir dire *waouh* ici, et je le dis d'ailleurs. Waouh !

Comme personne ne décrochait un mot, j'ai fini par reprendre la parole :

— Mmmm, c'est vrai, mais n'exagérons pas, ce n'est pas le nom le plus bizarre de la Terre.

— Addie, a-t-elle répondu d'un air peiné, j'ai besoin de savoir : as-tu introduit un cochon dans mon café ?

Euh… Un cochon dans un café… Est-ce que je pouvais trouver un jeu de mots pour détendre l'atmosphère ?

— Oui, mais il est vraiment très mignon, ce cochon. Est-ce que ça compte, même un tout petit peu ?

Christina a indiqué la porte.

— Il doit sortir. Immédiatement.

— D'accord, d'accord, il faut juste que je donne un mug à Tegan pour qu'elle le mette dedans.

— Tu crois que Flobie se lancera un jour dans la vaisselle ? a chuchoté Stuart à l'intention de Jubilé.

— Pardon ? ai-je réagi. De quoi vous parlez ?

En retenant un rire, Jubilé a poussé Stuart du coude.

— Laisse tomber, s'il te plaît, a-t-elle dit.

Dorrie s'est approchée de moi.

— Tu as assuré, Addie. J'ai douté de toi et je n'aurais pas dû, parce que… tu as assuré.

— Merci.

— Allô ? s'est énervée Christina. Quelqu'un m'a entendue quand j'ai dit que le cochon devait sortir ?

— J'y vais, j'y vais ! a répondu Tegan en reculant vers la porte.

— Attends !

J'ai lâché Jeb le temps d'attraper sur le présentoir un mug avec des flocons de neige.

— Si le manager régional décide justement de nous rendre une visite, je serai virée. Les cochons ne sont pas autorisés par le règlement du Starbucks.

— Et voilà, trésor, a dit Tegan en installant Gabriel dans le mug.

Il a un peu agité les pattes avant de se rendre compte que le récipient était pile à sa taille et qu'il faisait une maison parfaite. Il s'est assis sur son arrière-train puis a grogné. Tout le monde a fondu, même Christina.

— Adorable, a approuvé Dorrie. Maintenant, viens, on a intérêt à partir avant que Christina *plotz* !

J'ai échangé un sourire avec Jeb. Son regard a glissé sur mes cheveux, et il a haussé les sourcils.

— Eh ! Tu as changé de coiffure.

— Ah, oui, c'est vrai.

J'avais l'impression que ça remontait à une vie antérieure. J'avais vraiment été la blonde pleurnicheuse qui s'apitoyait sur elle sans arrêt ?

— C'est chouette, a-t-il constaté en prenant une mèche entre le pouce et l'index, avant de laisser sa main glisser vers ma joue et de la caresser. Addie, j'ai envie de toi, a-t-il ensuite murmuré.

Mon visage s'est empourpré. Est-ce qu'il venait réellement de balancer ça ? Qu'il avait envie de moi, là, au Starbucks ? Soudain, j'ai compris ce qu'il voulait dire. Il répondait à la fin de mon mail : « Si tu veux de moi, je suis à toi. » Le rouge n'a pas quitté mes joues, et je me suis réjouie que personne ne soit capable de lire dans les pensées, parce que c'était un cas typique de malentendu égocentrique. Mais, après tout, si quelqu'un le découvrait, ce ne serait pas la fin du monde pour autant.

Je me suis mise sur la pointe des pieds et j'ai passé mes bras autour du cou de Jeb. Comme je savais qu'il n'aimait pas se donner en spectacle, je l'ai prévenu :

— J'ai l'intention de t'embrasser.

— Non, a-t-il rétorqué gentiment mais fermement. C'est moi qui vais t'embrasser.

Ses lèvres se sont posées sur les miennes, et le tintement d'une cloche a résonné à mes oreilles. Un son doux, cristallin, pur. C'était sans doute le carillon de la porte, signalant le départ de Dorrie et Tegan, mais j'étais bien trop occupée pour vérifier.

TABLE

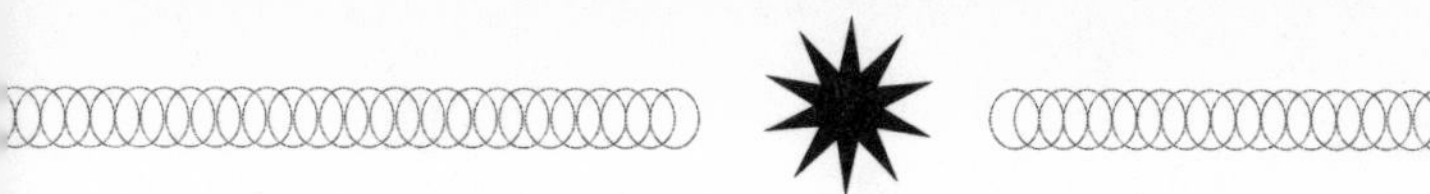

Composition *JOUVE* – 45770 Saran
N° 535205U

« Pour l'éditeur, le principe est d'utiliser des papiers composés de fibres naturelles, renouvelables, recyclables et fabriquées à partir de bois issus de forêts qui adoptent un système d'aménagement durable. En outre, l'éditeur attend de ses fournisseurs de papier qu'ils s'inscrivent dans une démarche de certification environnementale reconnue. »

Imprimé sur Timson par RODESA en Espagne
20.19.1909.9/01 - ISBN 978-2-01-201909-6
Dépôt légal : novembre 2010

Loi n° 49-956 du 16 juillet 1949
sur les publications destinées à la jeunesse.